dtv

Parker will die Millionen abholen, die er bei seinem letzten Banküberfall erbeutet und dann notgedrungen in einer verlassenen Kirche versteckt hat. Dumm nur, dass die damals beteiligten Kumpel plötzlich auf eigene Faust arbeiten wollen. Und dass andere Gangster Wind davon bekommen. Und dass die Scheine nummeriert sind. Ganz zu schweigen von der Polizei, die an jeder Straßenkreuzung auf ihn lauert …

Nach ›Fragen Sie den Papagei‹ und ›Keiner rennt für immer‹ der dritte Band der Kultserie um den eiskalten und skrupellosen Berufsganoven Parker.

»Hardboiler Stark und sein gesichtsloser Held Parker: das ultimative Gespann der zeitgenössischen Krimiliteratur.« (Bücher)

Richard Stark ist ein Pseudonym des amerikanischen Schriftstellers Donald E. Westlake (1933–2008). Er erhielt zahlreiche Preise, u. a. dreimal den berühmten »Edgar Award«, und wurde von den Mystery Writers of America zum »Grand Master« ernannt. Für ›Fragen Sie den Papagei‹ erhielt Richard Stark den Deutschen Krimipreis 2009, stellvertretend für sein Gesamtwerk.

Richard Stark

Das Geld war schmutzig

Kriminalroman

Deutsch von Rudolf Hermstein

Deutscher Taschenbuch Verlag

Von Richard Stark
sind im Deutschen Taschenbuch Verlag erschienen:
Fragen Sie den Papagei (21210)
Keiner rennt für immer (21266)

Ausführliche Informationen über
unsere Autoren und Bücher
finden Sie auf unserer Website
www.dtv.de

Ungekürzte Ausgabe 2011
Deutscher Taschenbuch Verlag GmbH & Co. KG, München
Lizenzausgabe mit Genehmigung des Paul Zsolnay Verlags
© 2008 Richard Stark
Titel der amerikanischen Originalausgabe:
›Dirty Money‹
(Grand Central Publishing, New York 2008)
© 2009 der deutschsprachigen Ausgabe:
Paul Zsolnay Verlag, Wien
Umschlagkonzept: Balk & Brumshagen
Umschlaggestaltung: Lisa Helm unter Verwendung
eines Fotos von plainpicture/Briljans
Satz: Eva Kaltenbrunner-Dorfinger, Wien
Druck und Bindung: Druckerei C. H. Beck, Nördlingen
Gedruckt auf säurefreiem, chlorfrei gebleichtem Papier
Printed in Germany · ISBN 978-3-423-21321-9

TEIL EINS

EINS

Als der silberne Toyota Avalon den Fahrweg herab aus dem Wald und über die Eisenbahnschienen holperte, stellte Parker bei dem Infiniti den Wählhebel auf L und sprang auf den Kies hinaus. Der Infiniti ruckelte auf den Fluss zu, und der Toyota kam hinter ihm schleudernd zum Stehen. Parker hob die volle Reisetasche auf, wo er sie abgestellt hatte, und hinter ihm rollte der Infiniti mit offenen Fenstern in den Fluss. Der Wagen glitt in das graue Wasser wie ein Bär in einen Forellenbach.

Parker trug die Reisetasche auf den Armen, und Claire stieg aus dem Toyota, um die Hecktür zu öffnen. »Willst du fahren?« fragte sie.

»Nein, mir reicht's.« Er wuchtete die Reisetasche auf den Rücksitz und nahm auf dem Beifahrersitz Platz.

Bevor Claire sich ans Steuer setzte, schaute sie zum Fluss hinunter, eine hochgewachsene, schlanke Frau mit aschblonden Haaren in einer schwarzen Hose und einem dicken dunkelroten Pullover gegen die Oktoberkälte. »Er ist weg«, sagte sie.

»Gut.«

Dann setzte sie sich in den Toyota, küsste Parker und nahm sein Gesicht in ihre schmalen Hände. »Lange her.«

»Es ist nicht ganz nach Plan gelaufen.«

»Aber du bist wieder da«, sagte sie und steuerte den Toyota

über die Schienen und den Fahrweg durch den Buschwald hinauf. »Heißt einer von deinen Leuten Dalesia?«

»Nick. Den haben sie geschnappt«, sagte er.

»Er ist abgehauen.« Sie hielt an der asphaltierten Staatsstraße und bog nach rechts ab, Richtung Süden.

»Nick ist abgehauen?«

»Ich hab auf der Herfahrt Nachrichten gehört. Es war vor zwei Stunden, in Boston. Sie haben ihn von der Staatspolizei an die Bundespolizei überstellt, wollten ihn zur Vernehmung irgendwohin in den Süden bringen. Er hat einen Marshal getötet und ist mit der Waffe entkommen.«

Parker betrachtete ihr Profil. Sie waren fast allein auf der Straße, es war noch vor sieben Uhr morgens, und Claire fuhr schnell. »Sie haben ihn gestern geschnappt«, sagte er, »und hatten ihn noch nicht vernommen?«

»So kam's im Radio.« Sie zuckte die Achseln, den Blick auf die Straße gerichtet. »Für mich hat es sich nach einem Kompetenzgerangel angehört, zwischen der örtlichen Polizei und dem FBI, was sie natürlich nicht zugegeben haben. Die vom FBI haben gewonnen, aber den Mann haben sie verloren.«

Parker schaute auf die in sanftem Auf und Ab nach Süden führende Landstraße hinaus. Bald würden sie in New Jersey sein. »Wenn Nick noch nicht vernommen worden ist, dann wissen sie auch nicht, wo das Geld ist.«

Mit einer Kopfbewegung zu der Reisetasche auf dem Rücksitz fragte sie: »Da ist es nicht drin?«

»Nein, das ist was anderes.«

Sie lachte überrascht. »Du kommst an das Geld nicht ran, also hast du dir auf dem Rückweg anderes besorgt?«

»Es gab zuviel Rummel nach dem Raubüberfall«, sagte er. »Wir konnten es noch bunkern, aber nicht mehr wegschaffen.

Jeder hat ein bisschen was eingesteckt. Nick wollte etwas davon ausgeben, aber die haben die Seriennummern.«

»Aha. So haben sie ihn also drangekriegt. Hast du auch was?«

»Nicht mehr.«

»Gut.«

Eine Zeitlang fuhren sie schweigend weiter. Er streckte seine Beine und ließ die Schultern kreisen. Er war ein großer, muskulöser Mann, der in dem Toyota eingezwängt wirkte. Er war die Nacht durchgefahren und hatte eine Stunde zuvor Claire aus einem Schnellimbiss angerufen, um sich mit ihr zu verabreden und den Infiniti loszuwerden, der zu heiß war und mit Fingerabdrücken übersät. Jetzt überholten sie einen langsam fahrenden Heizöltankwagen, und er sagte: »Ich brauche ein bisschen Schlaf, aber dann müsstest du mich nach Long Island fahren. Meine Papiere sind bei dem Schlamassel in Massachusetts unbrauchbar geworden. Ich fahr besser nicht, bis ich neue kriege.«

»Du willst nur mit jemand reden?«

»Stimmt.«

»Dann fahr ich dich.«

»Gut.«

Sie schaute auf die Straße; im Moment gab's keinen Verkehr. »Geht's dabei immer noch um den Raubüberfall?«

»Um unseren dritten Mann«, sagte er. »Auch er wird wissen, was es bedeutet, dass Nick auf freiem Fuß ist.«

»Dass die Polizei nicht weiß, wo das Geld ist.«

»Aber Nick weiß, wo wir sind, er könnte ihnen einen Hinweis geben. Sind wir noch Partner?« Er schüttelte den Kopf. »Leg einen Polizisten um«, sagte er, »und du spielst in einer anderen Liga. McWhitney und ich müssen uns absprechen.«

»Aber nicht per Telefon.«

Parker gähnte. »Nichts per Telefon, auf gar keinen Fall«, sagte er. »Außer Pizza.«

ZWEI

Ein- oder zweimal war Claire Parkers anderer Welt zu nahe gekommen, oder diese Welt war ihr zu nahe gekommen, und das hatte sie gar nicht lustig gefunden, also hielt er sie nach Möglichkeit aus solchen Sachen raus. Aber das hier war okay; alles war schon vorbei, sie mussten nur noch ein bisschen aufräumen.

Am Spätnachmittag fuhren sie ostwärts durch New Jersey, und er erklärte ihr die Situation: »Ein Treffen ist schiefgelaufen. Ein Typ namens Harbin hat Probleme gemacht. Er war verdrahtet –«

»Polizei?«

»Und das hat er nicht überlebt. Dann kam raus, dass das FBI eine Belohnung auf ihn ausgesetzt hatte, und das hat einen Kopfgeldjäger namens Keenan auf den Plan gerufen.«

»Das hatte aber nichts mit euch in Massachusetts zu tun?«

»Nein. Es war nur einfach lästig. Keenan hat versucht, alle zu finden, die bei dem Treffen dabei waren, um auf diese Weise was über Harbin zu erfahren. Er hat sich ein paar Telefonunterlagen beschafft, Nick Dalesia hat zweimal in unserem Haus hier angerufen, und so hat er uns gefunden.«

Sie sah ihn an und schaute dann auf die Interstate 80: jede Menge Lastzüge, so dichter Verkehr in beiden Richtungen, dass man nicht oft die Spur wechselte. »Du meinst«, sagte sie,

»die Polizei könnte jetzt auftauchen, aufgrund derselben Telefonunterlagen?«

»Eher unwahrscheinlich. Keenan war auf Kontakte aus. Die Polizei sucht nach Nick, und die wissen bestimmt, dass er nicht so dumm ist, bei jemand unterzukriechen, den er kennt. Die verschwenden ihre Zeit nicht mit Telefonrechnungen.«

»Aber wohin fahren wir denn jetzt?«

Parker war ausgeruht, er hatte fast den ganzen Tag geschlafen, aber das Auto war ihm trotzdem zu klein, vielleicht, weil er nicht am Steuer saß. Er streckte sich, so gut es ging, und sagte: »Keenans Partnerin, eine gewisse Sandra Loscalzo, hat uns in Massachusetts aufgestöbert, unmittelbar bevor wir die Sache durchgezogen haben. McWhitney hat sie überredet, wieder zu verschwinden. Dafür wollte er sie, sobald er wieder in Long Island war, zu Harbin führen.«

»Der schon tot ist.«

»Ja.«

»Und McWhitney lebt auf Long Island?«

»Er hat dort eine Bar. Seine Wohnung liegt dahinter.«

»Und da fahren wir hin.«

»Und wenn wir da sind, bestimmst du selbst, was du machen willst.«

Sie schaute stirnrunzelnd nach vorn, auf den Verkehr und den dämmernden Himmel im Osten. »Kann es unangenehm werden?«

»Ich glaube nicht. Wenn wir dort sind, kann ich reingehen und mit McWhitney reden, und du wartest im Auto, oder du kommst mit rein und wir trinken was, in geselliger Runde.«

»Es wird also keinerlei Ärger geben?«

»Nein. Wir müssen beschließen, was wir mit der Loscalzo machen, und wir müssen beschließen, was wir mit dem Geld machen. Im Moment veranstalten die dort einen Mordswirbel –«

»Wegen dem, was ihr gemacht habt.«

»Die nehmen jeden Fremden unter die Lupe«, sagte Parker achselzuckend. »Also müssen wir das Geld noch eine Weile da lassen, wo es ist, aber nicht zu lange, sonst finden sie entweder Nick und er erkauft sich mit dem Geld eine mildere Strafe, oder er schafft es bis zu dem Versteck und räumt es aus, weil ihm in seiner Lage nichts anderes übrigbleibt. Wer so gejagt wird, braucht sehr viel Kleingeld.«

»Du hast gesagt, sie haben die Seriennummern«, sagte sie. »Dann kann er doch nichts damit anfangen, oder?«

»Er wird eine breite Spur hinterlassen, aber das wird ihm egal sein.«

»Aber *du* kannst doch nichts damit anfangen.«

»Offshore«, sagte er. »Wir können es mit einem Abschlag an Leute verkaufen, die es nach Afrika oder Asien bringen. Dann kommt es nicht wieder in den Bankenkreislauf.«

»Was es alles für Möglichkeiten gibt«, sagte sie.

»Not macht erfinderisch.«

»Du hast vorhin gesagt, ihr müsst beschließen, was ihr mit dieser Wie-heißt-sie-noch macht. Der Partnerin des Kopfgeldjägers.«

»Sandra Loscalzo.«

»Warum müsst ihr nicht beschließen, was ihr mit dem Mann macht? Mit Keenan.«

»Der ist auch tot.«

»Oh.«

Der Verkehr wurde noch dichter, während sie sich der Stadt näherten. Sie schwiegen beide eine Zeitlang, dann sagte sie zu seiner Überraschung: »Ich geh mit rein.«

DREI

»Wir können da noch nicht hin«, sagte McWhitney zur Begrüßung.

Parker stand am Tresen und sagte: »Nelson McWhitney, das ist meine Freundin Claire.«

»Hallo, Freundin«, sagte McWhitney, legte zwei Untersetzer auf den Tresen und sagte: »Schnappt euch einen Hocker. Was darf's denn sein – geht natürlich aufs Haus.«

»Für mich einen Scotch mit Soda«, sagte Claire, während sie und Parker sich auf die nächstbesten Hocker setzten.

»Ein Damendrink«, bemerkte McWhitney. »Okay. Parker?«

»Bier.«

McWhitneys Bar in Bay Shore an der Südküste von Long Island war ein schmaler, langgezogener Raum, und die dunklen Holzwände und -böden wurden hauptsächlich von Neonreklamen für Bier beleuchtet. An diesem Montagabend im Oktober um halb neun war sie fast leer, nur zwei einzelne Männer tranken am Tresen ihren Whisky aus, und eine blonde Frau in einem schwarzen Mantel saß zusammengesunken am letzten, dunklen Tisch auf der anderen Seite.

McWhitney selbst wirkte auch nicht viel munterer, vielleicht hatte auch er ein strapaziöses Wochenende hinter sich. Er war rotbärtig und rotgesichtig, ein zäher, massiger Mann mit weicher Mitte, ein aus dem Leim gegangener Footballspieler. Er machte die Drinks, brachte sie ihnen, beugte sich vor und sagte: »Die gehen in ein paar Minuten, dann mach ich den Laden dicht.«

»Was Neues von Sandra?« wollte Parker wissen.

McWhitney zog mit einem Blick auf Claire die Brauen hoch. »Deine Freundin weiß Bescheid über dich und mich?«

»Immer.«

»Wie schön.« Mit einer Kopfbewegung nach hinten sagte McWhitney: »Eine ganz so gute Freundin ist Sandra nicht, aber dahinten sitzt sie und wartet auf einen Anruf.« Er hob die Stimme. »Sandra! Schauen Sie, wer vorbeigekommen ist.«

Sandra Loscalzo stand auf und kam herüber. Sie war groß und schlank, trug hohe Absätze, Jeans und einen blauen Pullover unter dem schwarzen Mantel. Sie hatte einen selbstbewussten Gang, steckte mit jedem Schritt ihr Revier ab. Ihr Glas brachte sie nicht mit. An der Theke sagte sie zu Parker: »Als ich Sie das letztemal gesehen hab, haben Sie einen falschen Polizeiwagen gefahren.«

»Der Wagen war echt«, sagte Parker. »Falsch war der Polizist. Sie waren da?«

»Am Spielfeldrand.« Es klang bewundernd, aber auch belustigt. »Ihr Jungs seid wirklich gut, aber auf eine destruktive Art.« Sie sah Claire an und fragte: »Ist er zu Hause auch destruktiv?«

»Natürlich nicht.« Claire lächelte. »Ich bin Claire. Sie sind Sandra?«

»Nacht, Nels«, rief einer der Gäste, stand auf und winkte im Hinausgehen nach hinten.

»Bis dann, Norm.«

Parker sagte zu Sandra: »Sie warten auf einen Anruf?«

Sandra schüttelte angewidert den Kopf und zeigte auf Mc-

Whitney. »Der da und Harbin«, sagte sie. »Wo hat er ihn abgelegt? In Ohio. *Ich* fahr natürlich nicht nach Ohio und schau mir den Typ an, also was mach ich, ich ruf meinen Mann in DC an und geb den Tip weiter, dabei weiß ich nicht mal, ob unser Nelson hier mich nicht linkt. Was, wenn Harbin doch nicht dort ist? Falsche Tips sind schlecht fürs Renommee.«

»Ich geb Ihnen keine falschen Tips«, sagte McWhitney. »Was hätte ich davon? Er ist genau da, wo ich gesagt habe.«

»Schönen Abend noch, Nels.«

»Dir auch, Jack.« McWhitney winkte, dann sagte er zu Parker: »An der Interstate 75, ungefähr auf halbem Weg zwischen Cincinnati und Dayton, ziehen sie ein neues Restaurant hoch, eine Raststätte. Da ist eine Fläche, die sie demnächst asphaltieren, für den Parkplatz, aber noch nicht gleich, erst, wenn der Rohbau ein bisschen weiter ist. Vor einem Monat war da bloß eine Aufschüttung, notdürftig planiert, jede Menge breite Reifenspuren. In ein paar Wochen werden sie die Asphaltdecke aufbringen, bevor der Boden gefriert, aber erst mal noch nicht.«

»Ich hasse es, wenn jemand so glaubwürdig wirkt«, sagte Sandra. »Wenn alles zusammenpasst wie Legosteine. So was kommt im wirklichen Leben nicht vor.«

»Aber ab und zu«, sagte McWhitney, »hat der glaubwürdige Typ die Ware.«

»Also McWhitney hat Ihnen den Tip gegeben«, sagte Parker, »und Sie haben ihn an jemand in DC weitergegeben, den Sie kennen –«

»Ja, bei den US-Marshals.«

»Und die schicken einen hin, der das nachprüfen soll? Wenn die Leiche dort ist, kriegen Sie Ihr Kopfgeld. Die rufen hier an?«

»Ja, aber nicht auf seinem Telefon, sondern auf meinem Handy.«

»Okay.«

»Die werden sich gleich melden«, sagte Sandra. Sie hatte die ganze Zeit die rechte Hand nicht aus der Manteltasche genommen. »Wenn sie Harbin gefunden haben, ist alles in Butter. Bleibt er auf der Vermisstenliste, steh ich schön blöd da.«

»Er ist dort«, sagte McWhitney.

»Allerdings auch nicht ganz mit leeren Händen«, sagte sie, »ein bisschen was hab ich dann nämlich immer noch, was ich ihnen geben kann, zum Ausgleich für die Unannehmlichkeiten. Ursprünglich hatte ich ja nur Nelson.« Sie lächelte in die Runde. »Aber jetzt ist ein Doppelpack draus geworden.«

VIER

McWhitney sagte: »Ich sperr jetzt mal zu.«

Er musste ans Ende des Tresens gehen, die Klappe hoch-heben und dann an den anderen vorbeigehen. Sandra trat zu-rück, damit er nicht hinter ihr vorbeimusste, und sagte dann zu Parker: »Komisch, dass Sie gerade jetzt vorbeikommen.«

»Wieso?«

»Na ja, zufällig sind Sie ganz in der Nähe, am selben Tag, an dem Dalesia seine Fesseln abstreift.«

McWhitney stand jetzt auf ihrer Seite des Tresens. »San-dra«, sagte er, »regen Sie sich nicht künstlich auf. Wir helfen Nick nicht. Er wird uns nicht verraten, wo er sich aufhält.«

Sandra schaute skeptisch. »Warum? Weil ihr ihn sonst ans Messer liefern würdet?«

»Würden wir nie tun«, sagte McWhitney, »und das weiß er auch. Außer so, wie Sie jetzt Harbin ans Messer liefern.«

Sie schüttelte den Kopf. »Ihr wart ein Team.«

»Sind wir aber nicht mehr.«

»Wenn die ihn wieder einfangen«, sagte Parker, »hat er für ein Tauschgeschäft nur noch das Geld anzubieten und uns.«

»Na ja, eher mich als dich«, sagte McWhitney. »Er kennt meinen Laden hier.«

»Ich glaube«, sagte Claire vorsichtig, »er kennt unsere Tele-fonnummer.«

Sandra sah sie mit einem dünnen Lächeln an. »Er *kennt* Ihre

Telefonnummer? Er hat sie sogar schon benutzt. Roy Keenan und ich haben die Nummer gesehen. Nick Dalesia hatte nie viele Telefonkumpels. Ms. Willis fiel auf.«

Claire zuckte die Achseln. »Ich hab den Mann nie gesehen«, sagte sie. »Ich hab eigentlich überhaupt keine Verbindung zu ihm. Ich hab jemand gesucht, der mir meine Einfahrt asphaltiert. Irgend jemand, ich hab vergessen, wer, hat gesagt, er würde Mr. Dalesia bitten, mich anzurufen. Ich hab zweimal mit ihm geredet, fand aber, dass er unzuverlässig klang.«

»Schön und gut«, sagte Sandra. »Aber nur, solange Nick nicht aussagt, dass es anders gelaufen ist.«

»Unsere Rede«, sagte McWhitney. Er hatte sich auf den Hocker neben Parker gesetzt, so dass sie jetzt zu dritt Sandra gegenübersaßen, die mit der rechten Hand in der Tasche an der hohen Kleiderablage lehnte.

»Gut«, sagte Sandra. »Aber solange wir hier warten, könnten wir doch noch eine andere Sache klären. Für den Fall, dass die Harbin-Geschichte tatsächlich klappt, meine ich.«

»Was denn für eine andere Sache?« wollte McWhitney wissen.

»Ihr habt oben in Neuengland eine Menge Geld abgegriffen«, sagte Sandra, »aber dann musstet ihr es zurücklassen. Das ist erst drei Tage her, also könnt ihr noch nicht zurück.« Zu Parker gewandt sagte sie: »Aber Dalesia könnte es riskieren, und deshalb sind Sie zu McWhitney gekommen. Ihr müsst das Geld vor eurem Freund retten, ohne den Bullen in die Arme zu laufen.«

»Nick hat jetzt sicher andere Sorgen«, sagte Parker.

»Ich würde sagen, euer Nick hat Geld jetzt bitter nötig«, sagte Sandra.

McWhitney sagte: »Das soll doch hoffentlich nicht heißen,

dass wir Ihnen sagen sollen, wo es ist, damit Sie es holen und uns bringen können?«

Sandra machte mit der linken Hand eine wegwerfende Geste. »Warum nicht? Eine einzelne Frau kann da rein und wieder raus, und dann habt ihr immerhin etwas statt gar nichts.«

»Falls Sie wiederkommen«, sagte McWhitney.

»Nein, wir bleiben besser bei unserem Plan«, sagte Parker. »Falls Sie doch nicht rein- und rauskommen, falls die Sie mit dem Geld erwischen, werden sie wissen wollen, wer Ihnen gesagt hat, wo das Geld war. Welchen Grund hätten Sie dann, es ihnen nicht zu sagen?«

Sandra überlegte, dann nickte sie. »Zugegeben, so kann man es auch sehen«, sagte sie. »Also gut, war nur ein Angebot.«

»Leute, ich kann euch hier nichts zu essen machen«, sagte McWhitney. »Was meinen Sie, wie lange wir noch warten müssen?«

»Bis die mich anrufen«, sagte Sandra.

»Rufen Sie sie doch an«, schlug Parker vor.

Sandra gefiel das gar nicht. »Wozu? Die tun, was zu tun ist, und dann rufen sie mich an.«

»Rufen Sie sie an«, beharrte Parker. »Sagen Sie ihnen, sie sollen sich beeilen, weil Ihr Tipgeber nervös wird, er hätte Angst, dass man ihn reinlegen will.«

»Die werden sich nicht drängen lassen –« Ein leises, kurzes, fast tonloses Klingeln war zu hören. »Na endlich«, sagte sie und wirkte plötzlich erleichtert; offenbar war auch sie besorgt gewesen und hatte es sich nur nicht anmerken lassen. Sie ließ die rechte Hand in der Manteltasche, während sie mit der linken das Handy aus der anderen Tasche zog. Mitten im zweiten Klingeln drückte sie mit dem Daumen auf die Taste und sagte: »Keenan. Natürlich bin ich es, das ist Roys Geschäftstelefon. Wie steht's?«

Parker beobachtete McWhitney. Wirkte er angespannt? Hatte er der Kopfgeldjägerin die Wahrheit gesagt?

Plötzlich strahlte Sandra, keine Spur von Nervosität mehr, und ihre rechte Hand kam leer aus der Manteltasche. »Super. Ich war mir sicher, dass meine Quelle zuverlässig ist, aber man weiß ja nie. Dann komme ich morgen ins New Yorker Büro, meinen Scheck abholen? Gut, Mittwoch. Oh, Roy ist irgendwo hier in der Nähe.«

McWhitney horchte auf, doch dann entspannte er sich wieder, als Sandra ins Telefon sagte: »Schönen Gruß an Linda. Danke, der geht's gut. Ich ruf zurück.« Sie beendete das Gespräch, steckte das Handy ein und sagte zu McWhitney: »Alles bestens. Es ist Harbin, und er ist da, wo Sie gesagt haben.«

»Na, sehen Sie.« Nachdem die Sache ausgestanden war, wirkte McWhitney auf einmal müde. »Jetzt muss ich euch leider rauswerfen.«

Sie gingen die Theke entlang zur Tür, und Sandra sagte: »Wenn Sie irgendwo noch andere Sachen gebunkert haben, Sie wissen schon, Sachen von einigem Wert, rufen Sie mich an.«

»Ich hätte was ganz anderes tun sollen«, sagte McWhitney, während er die Tür aufschloss. »Ich hätte Finderlohn beantragen sollen.«

Sandra lachte und ging zu ihrem Auto, und McWhitney schloss die Tür. Sie konnten das Klicken hören.

FÜNF

Claires Haus lag an einem See mitten in der nördlichen Hälfte von New Jersey, überwiegend umgeben von Ferienhäusern, von denen nur etwa jedes fünfte ganzjährig bewohnt war. In mehreren dieser Häuser gab es hohle Wände, Kriechräume und unbenutzte Dachkammern, in denen Parker seine Vorräte versteckte.

Zwei Tage nach der nächtlichen Fahrt nach Long Island verstaute er endlich die Reisetasche, die er aus Upstate New York mitgebracht hatte, dann fuhr er Claires Toyota zum Tanken und bezahlte mit Bargeld aus der Reisetasche, Geld, von dem niemand die Seriennummern hatte. Er wollte schon in Claires Einfahrt einbiegen, als er durch die Bäume einen anderen Wagen vorm Haus stehen sah, schwarz oder dunkelgrau. Er fuhr bis zur nächsten Einfahrt weiter und hielt vor dem Nachbarhaus, das für den Winter mit Brettern vernagelt war.

Er kannte dieses Haus wahrscheinlich besser als die Eigentümer und wusste sogar, wo der Schlüssel lag, den die meisten Leute bei längerer Abwesenheit irgendwo in der Nähe der Haustür versteckten, wo ihn Handwerker und auch sonst jeder finden konnte. Diesmal brauchte er den Schlüssel nicht. Er ging seitlich um das Haus herum, bis er zu einer breiten Veranda kam, die auf den See blickte. Sie war im Sommer mit Fliegenfenstern versehen, die jetzt unter der Veranda verstaut waren.

Parker ging an der Veranda vorbei, über den Fahrweg zwischen den beiden Häusern, der für Versorgungsfahrzeuge freigehalten wurde, und weiter zu der Ecke von Claires Haus mit den wenigsten Fenstern. Von dort aus ging er auf der Seeseite noch ein Stückchen weiter und konnte so, ohne die Veranda zu betreten, durch ein Fenster hineinschauen. Claire saß auf dem Sofa und sprach mit zwei Männern, die ihr gegenüber in Sesseln saßen. Er konnte die Männer nicht gut sehen, aber es herrschte keine Spannung im Raum. Claire redete ganz unbefangen, gestikulierte, lächelte.

Parker wandte sich ab und ging zum Nachbarhaus zurück, stieg auf die Veranda, setzte sich in einen hölzernen Adirondack-Stuhl und wartete.

Fünf Minuten. Zwei Männer in dunklen Mänteln und Filzhüten kamen aus Claires Haus, und Claire blieb in der Tür stehen und sprach mit ihnen. Die Männer bewegten sich synchron, offenbar eher aus Gewohnheit als mit Absicht. Mit den Hüten sahen sie aus wie FBI-Agenten in Fünfziger-Jahre-Filmen, nur dass in Fünfziger-Jahre-Filmen nicht einer von ihnen ein Schwarzer gewesen wäre.

Die Männer tippten sich beide an die Hutkrempe. Claire sagte noch etwas, locker und unbeschwert, und schloss die Tür, als die Männer sich in ihren neutralen Dienstwagen setzten, der Weiße ans Steuer, und losfuhren.

Parker ging wieder zu dem Toyota, fuhr zu Claire hinüber und drückte auf den Knopf der Fernbedienung für das Garagentor. Als er aus der Garage kam, stand Claire in der Küche und machte Kaffee. »Willst du auch welchen?«

»Ja. FBI?«

»Ja. Ich hab ihnen meine Asphaltgeschichte erzählt und gesagt, ich würde versuchen, mich zu erinnern, wer mir diesen Mr. Dalesia empfohlen hat, aber es wär schon eine ganze Weile her.«

Er setzte sich an den Küchentisch. »Und die haben es geschluckt?«

»Sie waren schwer beeindruckt von dem Haus, dem See, der attraktiven Frau und der Sonne.«

»Sie haben dir ihre Karte dagelassen, und das war's?«

»Sieht so aus. Sie sagten, sie würden mich vielleicht anrufen, wenn sie noch Fragen hätten, und ich hab gesagt, dass ich vielleicht schon bald in Urlaub fahre. Ich wär mir aber nicht sicher.« Sie stellte Parker den Kaffee auf den Tisch und fragte: »Soll ich?«

»Ja. Wir fahren zusammen.«

Erstaunt setzte sie sich ihm gegenüber. »Weißt du auch schon, wohin?«

»Letzte Woche in Massachusetts war die Rede von etwas, was man Laubgucken nennt.«

Noch erstaunter, sagte sie: »Laubgucken? Ach so, wegen dem bunten Herbstlaub.«

»Genau.«

»Es gibt also Leute, die extra nach Neuengland fahren, um sich das Herbstlaub anzuschauen.« Sie überlegte. »Und die nennt man Laubgucker?«

»So hab ich's gehört, ja.«

Sie schaute aus dem Küchenfenster zum See hinüber. Die meisten Bäume hier waren Nadelbäume, aber es waren auch ein paar darunter, die sich im Herbst verfärbten; hier unten wäre das erst in einem Monat der Fall, und es wäre nicht so spektakulär wie in Neuengland. »Klingt irgendwie albern«, sagte sie. »Laubgucker. Richtig verreisen, bloß um sich Blätter anzuschauen. Eigentlich ist das wirklich albern.«

»Wir wären nicht die einzigen.«

Sie sah ihn an. »Dir geht's doch nur darum, in der Nähe von deinem Geld zu sein.«

»Ich will wissen, was sich dort tut. Du musst fahren, und du musst die Rechnung in unserem Quartier bezahlen, weil ich keinen Ausweis habe. Und wenn ich ein Laubgucker bin, bin ich kein Bankräuber.«

»Wenn du mit mir zusammen bist, bist du ein Laubgucker.«

»Stimmt.«

»Wärst du allein, würde dir kein Mensch den Laubgucker abnehmen«, sagte sie und lächelte. Dann erstarb ihr Lächeln.

Er spürte, dass eine dunkle Erinnerung in ihr hochkam, und sagte: »Da oben ist alles gelaufen. Fix und fertig. Es wird nichts passieren, außer dass wir uns Bäume ansehen und eine Kirche.«

»Eine Kirche.«

Er stand auf. »Ich hol mal eine Karte. Ich zeig dir, welche Gegend ich meine. Dann kannst du uns eine Unterkunft suchen –«

»Eine Frühstückspension.«

»Richtig. Wir bleiben eine Woche.« Er wies mit dem Kinn auf das Wandtelefon und sagte: »Dann kannst du auf deinen Anrufbeantworter sprechen, dass du für eine Woche in Urlaub bist, und die Adresse der Pension angeben.«

»Weil das, was da oben passieren wird, schon passiert ist.«

»Stimmt genau«, sagte er.

SECHS

»Sind Sie wegen des Raubüberfalls hier?«

Die Pension nannte sich Bosky Rounds, und auf den Bildern im Internet hatte sie wie ein Quartier für Hänsel und Gretel ausgesehen. Tief herabgezogenes Dach, cremefarben gestrichene Wände, altmodische Sprossenfenster mit breiten, dunkelgrünen hölzernen Läden und ein Sonnengott-Türklopfer an der Haustür. Das war die Masche des Bosky Rounds, obwohl die Besitzerin es nicht so genannt hätte: Es wurden Wanderkarten zur Verfügung gestellt für diejenigen Laubgucker, die ihr Hobby ernst nahmen. Es war die rustikalste und unverdächtigste Unterkunft, die Claire gefunden hatte, und Parker hatte gemeint, für ihre Zwecke sei sie ideal.

Und das erste, was Mrs. Bartlett, die Besitzerin, eine nette, mütterliche Frau mit einer rüschenbesetzten Schürze und einem schwachen Duft nach Apfelkuchen, zu ihnen sagte, war: »Sind Sie wegen des Raubüberfalls hier?«

»Raubüberfall?« Claire brachte es fertig, zugleich erschrokken und besorgt dreinzuschauen. »Was für ein Raubüberfall? Sind Sie überfallen worden?«

»Aber nein, doch nicht *ich*, meine Liebe.« Mrs. Bartlett kicherte kehlig. »Das lief doch ständig im Fernsehen. Keine zehn Kilometer von hier, letzte Woche, morgen vor einer Woche, da hat eine ganze *Bande* die gepanzerten Geldtransporter der Bank mit *Bazookas* angegriffen.«

»Bazookas!« Claire griff sich an die Kehle, dann beugte sie sich vor, als hielte sie es für möglich, dass diese nette alte Dame ihr etwas vorflunkerte. »Ist denn dabei nicht das ganze Geld verbrannt?«

»Das dürfen Sie mich nicht fragen, Kindchen, ich weiß nur, dass sie alles in die Luft gejagt haben. Wie in einem Kriegsfilm, hat mein Cousin gesagt.«

»War er dabei?«

»Nein, aber er ist gleich rübergefahren, als er es in seinen Radios gehört hat.« Zu Parker sagte sie: »Er hat nämlich ganz viele verschiedene Radios, wissen Sie.« Und dann fragte sie wieder Claire: »Und Sie haben wirklich nichts davon gehört?«

»Ach, wissen Sie«, sagte Claire mit einem Lachen und einem Achselzucken, »wir New Yorker sind schrecklich provinziell. Wenn es nicht im Central Park passiert, wissen wir gar nichts darüber.« Sie gab Mrs. Bartlett ihre Kreditkarte. »Wissen Sie was? Wir gehen erst mal aufs Zimmer und packen aus, und dann erzählen Sie uns alles.«

»Mit Vergnügen«, sagte Mrs. Bartlett. »Und Sie sind das Ehepaar Willis«, fügte sie mit einem Blick auf die Kreditkarte hinzu.

»Claire und Henry«, sagte Claire.

Mrs. Bartlett steckte die Karte in ihre Schürzentasche. »Ich gebe Ihnen Zimmer drei im ersten Stock. Unser schönstes.«

»Wunderbar.«

»Ihre Kreditkarte bekommen Sie wieder, wenn Sie runterkommen.« Sie wandte sich an Parker. »Und Sie möchten Tee?«

»Ja, gern. Danke.«

Es war ein großes Zimmer mit zwei großen, hellen Sprossenfenstern, Volants an allen Möbeln und einem abgetretenen

Perserteppich. Sie verstauten ihre Sachen in der hohen Kommode und dem wuchtigen Kleiderschrank – Wandschrank gab es keinen –, und Parker trat ans Fenster und schaute hinaus. Gleich hinter dem Haus fingen die Bäume an – rot, gelb, orange und grün. »Ich muss auf die Karte schauen«, sagte er. »Feststellen, wo wir hier sind.«

»Du meinst, wie weit es zum Schauplatz des Überfalls ist«, sagte Claire und lachte. »Keine Sorge, Mrs. Bartlett wird dir alles lang und breit erzählen. Meinst du, du hältst das durch?«

»Kann jedenfalls nicht schaden«, sagte Parker, »wenn ich weiß, was da nach Meinung der Einheimischen gelaufen ist.«

»Na schön. Aber pass auf.«

Er sah sie an. »Wieso?«

»Wenn sie irgendwas Falsches sagt«, sagte Claire, »korrigier sie nicht.«

Bei Tee und Butterplätzchen unten im Aufenthaltsraum lieferte Mr. Bartlett ihnen eine erschöpfende und überwiegend korrekte Beschreibung dessen, was sich am Freitag abend oben im Wald abgespielt hatte. Wie sich herausstellte, sagte sie, wollten zwei örtliche Banken fusionieren, deshalb sei das ganze Geld aus der einen in die andere Bank gebracht worden. Natürlich sei davon kein Sterbenswörtchen nach außen gedrungen, alles sei unter strengster Geheimhaltung abgewickelt worden, niemand sollte etwas davon erfahren, aber wie sich herausstellte, habe *irgendwer* doch Bescheid gewusst, weil nämlich genau an dieser Kreuzung hier – sie zeigte es ihnen auf der County-Landkarte –, wo diese beiden Landstraßen zusammenträfen, wie aus dem Nichts auf einmal wer weiß wie viele Gangster mit Bazookas aufgetaucht seien und die gepanzerten Wagen in die Luft gesprengt hätten – es seien vier gepanzerte Transporter gewesen, mit den ganzen Unterlagen der Bank drin, zusätzlich zu dem Geld –, und dann seien die Gangster mit dem Panzerwagen, in dem das Geld war, davongefahren, und als die Polizei den Wagen später gefunden habe, sei das ganze Geld weg gewesen.

»Woher wussten die denn«, fragte Parker, »in welchem Transporter das Geld war?«

»Tja«, sagte Mrs. Bartlett und beugte sich zu ihnen vor, als wollte sie ihnen ein Geheimnis anvertrauen, »das ist ja der Skandal. Die Frau des Bankbesitzers, Mrs. Langen, die hat mit den Gangstern unter einer Decke gesteckt!«

»Mit den Gangstern unter einer Decke?« fragte Claire. »Die Bankiersfrau? Nein, Mrs. Bartlett!«

»Doch, im Ernst«, versicherte Mrs. Bartlett. »Scheinbar hat sie sich mit einem gefeuerten Wachmann in der Bank ihres Mannes eingelassen. Er musste ins Gefängnis, wegen Diebstahl oder so, und kaum ist er wieder draußen, machen die beiden weiter, wo sie aufgehört haben, und ehe man sich's versieht, berauben sie die Bank ihres Ehemanns!«

»Aber sie sind doch bestimmt erwischt worden«, sagte Parker.

»Ja, sicher, natürlich, *die beiden* hat die Polizei sofort verhaftet«, sagte Mrs. Bartlett. »Die werden für ihre Verbrechen büßen, keine Sorge. Aber die Gangster eben nicht, also die Kerle, die das Geld tatsächlich geraubt haben.«

»Die Leute mit den Bazookas«, sagte Parker, denn die schwedischen Panzerfäuste Carl Gustaf waren keine Bazookas gewesen.

»Genau die«, bestätigte Mrs. Bartlett. »Und das Geld natürlich auch nicht. Hier wimmelt es schon die ganze Woche von einfachen Polizisten und Troopern und FBI-Leuten und weiß

Gott wem noch. Bis Dienstag hatten sich sogar drei Ermittler von der Staatspolizei bei mir einquartiert.«

»Schade, dass wir die verpasst haben«, murmelte Claire.

»Ach, die sehen ganz normal aus«, sagte Mrs. Bartlett. »Äußerlich würden Sie denen nichts anmerken.«

Claire wandte sich Parker zu. »Was meinst du, sollten wir da nicht mal hinfahren, wo sich der Überfall abgespielt hat?«

»Da herrscht immer noch das reinste Verkehrschaos«, sagte Mrs. Bartlett. »Die Leute fahren hin, halten an und machen Fotos, obwohl ich mir beim besten Willen nicht vorstellen kann, was es da groß zu fotografieren gibt. Abgesehen von ein paar verkohlten Bäumen.«

»Das ist der Nervenkitzel«, meinte Claire. »Viele finden so was aufregend.«

»Also, wenn Sie da unbedingt hinfahren wollen«, sagte Mrs. Bartlett, »dann am besten gleich am Morgen. Vor neun Uhr.« Wieder beugte sie sich geheimnistuerisch vor. »Touristen sind nämlich schreckliche Langschläfer.«

»Sie haben ja auch Urlaub«, sagte Claire.

»Wenn wir irgendwo zum Abendessen hinfahren«, sagte Parker, »sollten wir die Gegend vielleicht besser meiden.«

»Nein, nein. Es gibt da ein paar nette Lokale … Warten Sie, ich zeig sie Ihnen.«

Parker hatte eine bestimmte Route im Auge, doch der Vorschlag musste von Mrs. Bartlett kommen. Er fand Gründe, ihre ersten drei Empfehlungen abzulehnen, aber auf der vierten Strecke würden sie genau an der Kirche vorbeikommen. »Neuenglisches Fischrestaurant«, sagte er. »Das klingt verlockend. Würden Sie Claire den Weg beschreiben?«

»Aber mit dem größten Vergnügen.«

SIEBEN

Es waren noch zwei Stunden bis Sonnenuntergang, und Claire wollte ein wenig spazierengehen, um sich nach der langen Autofahrt die Beine zu vertreten. Als sie aus der Haustür traten, kam gerade ein junger Mann auf die Veranda gestürmt. »Hi«, sagte er, und sie nickten und wollten weitergehen, aber er blieb stehen, runzelte die Stirn, zeigte mit dem Finger auf sie und fragte: »Mit euch beiden hab ich noch nicht gesprochen, oder?«

»Nein«, sagte Claire.

»Tja, also, wenn ...« Er klopfte alle seine Taschen ab, suchte offenbar nach etwas Bestimmtem, und sprach dabei weiter, ein zerstreutes Lächeln auf dem Gesicht. Er sah aus wie Anfang Zwanzig, hatte dichtes, windzerzaustes braunes Haar, ein rundes Gesicht mit einem erwartungsvollen Ausdruck und trug eine große schwarze Brille, mit der er wie eine Eule aussah. Eine freundliche Eule. Über seinem dunkelgrauen Mantel hing ein Handy an einem schwarzen Lederriemen um seinen Hals. Außerdem trug er Jeans und Stiefel. Während er weiter die Taschen seines Mantels abklopfte, sagte er: »Ich bin kein Spinner oder so was, ich will mich nur ... schließlich sollen Sie ja wissen, mit wem Sie's zu tun haben ... irgendwo muss ich doch meine Karte ... Ah, da ist sie ja.« Aus einer Innentasche brachte er eine Visitenkarte zum Vorschein, die er Claire überreichte.

Die Karte war blassgelb, und in rotbraunen Buchstaben stand darauf:

TERRY MULCANY
Journalist

Dazu noch Telefon-, Fax- und Handynummer sowie eine E-Mail-Adresse. Postanschrift war keine dabei.

Claire sagte: »Für wen Sie als Journalist arbeiten, steht aber nicht drauf.«

»Ich bin Freelancer«, sagte Mulcany und lächelte nervös, offenbar nicht davon überzeugt, sie damit beeindrucken zu können. »Ich bin auf echte Kriminalfälle spezialisiert. Nein, behalten Sie sie«, sagte er, als Claire ihm die Karte zurückgeben wollte. »Ich hab ganze Schachteln voll davon.« Sein Grinsen wurde unsicher. »Ich verliere sie ständig, und dann finde ich sie wieder.«

»Das ist nett«, sagte Claire, »aber entschuldigen Sie uns, wir wollten gerade …«

»Oh, ich will Sie gar nicht aufhalten«, sagte Mulcany. »Es ist nur – Sie haben von dem Raubüberfall hier gehört, letzte Woche?«

»Mrs. Bartlett hat uns gerade alles darüber erzählt.«

»Ach, so heißt sie also, die Vermieterin?«

Claire beugte sich zu ihm vor. »Sie wohnen nicht hier?«

»Nein, so was kann ich mir nicht leisten«, sagte er, und sein Lächeln geriet ins Flackern. »Jedenfalls nicht, solange ich meinen Vorschuss noch nicht habe. Ich soll für Spotlight ein Buch über den Raubüberfall schreiben und bin nur hier, um Hintergrundinformationen zu sammeln und ein paar Fotos zu machen.«

»Tut uns leid, dass wir Ihnen nicht helfen können«, sagte Claire. »Wir haben selbst erst vor einer halben Stunde von dem Überfall gehört.«

»Schon okay, ich erwarte nicht ...« Mulcany fiel sich oft selbst ins Wort. »Sie sind wegen dem Laub hier, stimmt's?« fragte er.

Claire nickte. »Ja, genau.«

»Also sind Sie viel im Freien, fahren rum, laufen rum«, sagte Mulcany. »Wenn Sie irgendwas sehen, ganz egal was, irgendwas, was Ihnen ein bisschen komisch vorkommt, also nicht so ganz normal, dann sagen Sie mir Bescheid. Rufen Sie mich auf dem Handy an.« Er hielt es ihnen zur Betrachtung hin. »Wenn Sie was für mich herausfinden und ich verwende es«, sagte er, grinste breit und ließ das Handy wieder auf den Mantel herabfallen, »erwähne ich Sie als Quelle und führe Sie im Register auf!«

»Also, ich wüsste zwar nicht, was das sein sollte«, sagte Claire, »aber das ist ein reizvolles Angebot. Ich behalte Ihre Karte.«

»Super.« Plötzlich hatte er es eilig. »Ich muss noch ein paar Details überprüfen, mit dieser Mrs. – Wie war noch mal der Name?«

»Bartlett. Wie die Birnensorte.«

»Ach ja, super. Das kann ich mir merken. Vielen Dank!« Und er verschwand im Bosky Rounds.

Claire lachte, während sie und Parker der Pension den Rükken kehrten und die Straße hinuntergingen, die statt eines Gehsteigs einen breiten Streifen festgestampfte Erde hatte. »Ist das nicht nett?« sagte sie. »Du hast bei dieser Expedition Geld verloren, aber er wird sich welches damit verdienen. Also hat doch noch jemand was davon.«

»Gefällt mir nicht, dass der hier herumschleicht«, sagte Parker.

»Ach, der ist harmlos«, sagte sie.

Parker schüttelte den Kopf. »Irgendwo«, sagte er, »hat der Typ die Fahndungsplakate an der Wand hängen. Diesmal hat er nur Augen für dich gehabt. Nächstes Mal sieht er vielleicht mich an.«

ACHT

Auf der Fahrt zu dem Fischrestaurant sagte Parker: »Die Kirche hat Nick entdeckt. Sie ist seit Jahren unbenutzt, liegt abgelegen an einer Landstraße. Ursprünglich hatten wir vor, die erste Nacht dort zu verbringen, dann das Geld aufzuteilen und am Morgen zu verschwinden. Aber es hat dermaßen von Polizei gewimmelt, dass wir uns nicht rühren konnten, und wir konnten das Geld nicht mitnehmen. Also haben wir es dortgelassen.«

»In der Kirche.«

»In ein paar Minuten fahren wir dran vorbei.«

»Ich werd nicht viel davon sehen im Dunkeln.«

»Ich möchte nicht, dass du auch nur eine Spur langsamer wirst«, wies Parker sie an. »Die offizielle Version der Polizei lautet, Nick sei ihnen entwischt, bevor er ihnen irgendwas sagen konnte, aber die halten sich schließlich nicht immer an die Wahrheit.«

»Du meinst, sie wissen vielleicht doch, dass das Geld da ist, in der Kirche?«

»Ja, und vielleicht liegen sie auf der Lauer und warten darauf, dass wir zurückkommen. Also fahren wir ganz normal dran vorbei. Morgen versuch ich mal, einen näheren Blick drauf zu werfen.«

Sie fuhren weiter, auf dunklen, engen, kaum befahrenen Straßen, bis er sagte: »Da, auf der rechten Seite.«

Eine kleine, gedrungene weiße Kirche im Dunkeln, mit Parkplätzen drum herum. Claire schaute im Vorbeifahren hinüber und sagte: »Ich seh da keinen Menschen.«

»Natürlich nicht.«

Auf der Rückfahrt von dem passablen Meeresfrüchte-Dinner kamen sie wieder an der Kirche vorbei und entdeckten auch diesmal keinerlei Anzeichen dafür, dass jemand in dem Gebäude oder irgendwo in der Nähe war. Doch dann betraten sie das Bosky Rounds, und dort sahen sie im Aufenthaltsraum jemanden, den sie kannten: Sandra Loscalzo.

Sie erhob sich mit einem strahlenden Lächeln, als sie hereinkamen, warf die *Yankee*-Zeitschrift auf den Couchtisch zurück und sagte: »Hallo, ihr beiden. So sieht man sich wieder.«

NEUN

Das Bosky Rounds hatte fünf Gästezimmer, und seit Sandras Eintreffen am Nachmittag waren alle fünf belegt. In einer anderen Ecke des Aufenthaltsraums saßen jetzt zwei Paare und planten leise ihre Ausflüge für den nächsten Tag. Sandra schaute zu Parker und Claire hin, und obwohl sie ihre Begrüßung nicht erwidert hatten, sagte sie: »Auf der Fahrt hierher hab ich eine Bar gesehen, die ganz vielversprechend aussah. Sollen wir sie mal ausprobieren?«

»Sicher«, sagte Parker, und zu Claire: »Kommst du mit?«

»Na klar.«

Nickend und mit einem leichten Lächeln zu Claire hin sagte Sandra: »Zusammen oder mit zwei Autos?«

»Wir fahren Ihnen nach«, sagte Parker.

Als sie auf die Haustür zugingen, schaute sich Sandra um und fragte: »Wo ist Mrs. Apfelkuchen?«

»Ich glaube«, sagte Claire, »wir sind bis morgen früh unter uns.«

»Irgendwie hab ich hier das Gefühl«, sagte Sandra, »ich müsste immer erst um Erlaubnis fragen, bevor ich irgendwas mache.«

Ihr Auto, das auf dem gekiesten Parkplatz neben dem Haus stand, war ein kleiner schwarzer Honda Accord, und das einzig Auffällige daran waren zwei hoch über das Dach gebogene Peitschenantennen, die es wie ein überdimensionales tropisches Insekt aussehen ließen, das es in die falsche Klimazone verschlagen hatte. Sandra winkte und setzte sich ans Steuer, und Claire ließ den Toyota an, um ihr nachzufahren.

Den Blick auf das bucklige schwarze Insekt vor ihr auf der dunklen Straße gerichtet, fragte Claire: »Erzähl mir was von Sandra. Hat sie einen Kerl?«

»Sie ist lesbisch«, sagte Parker. »Sie lebt auf Cape Cod mit einer Frau zusammen, und die Frau hat ein Kind. Sandra kommt für den Unterhalt des Kindes auf. Sie hat sich für das Gehirn hinter Roy Keenan gehalten, und vielleicht war sie das auch. Wir kamen mit ihr in Kontakt, weil sie auf das Kopfgeld für Harbin aus war, und dazu haben wir ihr verholfen. Was sie jetzt will, weiß ich nicht.«

»Das Geld von der Bank?«

»Möglich.« Parker schüttelte den Kopf. Der Gedanke gefiel ihm nicht. »Das ist nicht ihr Ding«, sagte er. »Ich kann mir vorstellen, dass sie auf der Suche nach einem anderen Roy Keenan ist. Was sie momentan macht, weiß ich nicht.«

»War Roy Keenan schwul?«

»O nein. Die beiden hatten nur geschäftlich miteinander zu tun. Sie hat sich mit einer Pistole unsichtbar im Hintergrund gehalten, während Keenan die Fragen gestellt hat.«

»Ich will ja niemand verkuppeln«, sagte Claire, »aber wäre McWhitney nicht ein guter Nachfolger für Roy?«

»Nein, weil er zu aufbrausend ist und sie zu hart«, sagte Parker. »Innerhalb von vier Wochen würde einer den anderen umbringen, frag mich nicht, wer wen. Das da müsste es sein.«

So war es. Mit wippenden Antennen hielt der Honda vor einem altmodischen, weitläufigen Rasthaus mit einem ziemlich vollen Parkplatz an der Seite. Um das einstöckige Hauptgebäude zogen sich breite, verglaste Veranden, die taghell erleuchtet waren, während im ersten Stock alles finster war. Auf einem großen, angestrahlten Schild am Straßenrand, im rechten Winkel zum Parkplatz, stand für Fahrer aus beiden Richtungen sichtbar WAYWARD INN.

Sie parkten nebeneinander, und als sie ausgestiegen waren, sagte Sandra: »Drinnen war ich noch nicht. Aber es scheint so groß zu sein, dass man für sich bleiben kann: Gastzimmer auf beiden Seiten, in der Mitte die Bar.«

»Ich bin für die Bar«, sagte Claire.

»Eine Frau nach meinem Herzen!« sagte Sandra und ging voraus. Claire sah Parker mit hochgezogenen Brauen an.

Der Eingang war eine breite Tür in der Gebäudemitte, am Ende eines mit Schieferplatten belegten Weges vom Parkplatz her. Sandra marschierte als erste hinein, Parker und Claire folgten ihr, und sie betraten einen großen, mit einem dunklen Teppich ausgelegten Eingangsbereich mit dem unübersehbaren Pult des Oberkellners. Nach links und rechts sah man in die hellen Speiseräume in den verglasten Veranden, die sich um diese Zeit schon allmählich leerten. Hinter dem Pult führte eine dunkle Treppe nach oben, und seitlich davon erstreckte sich ein dezent beleuchteter Raum nach hinten zur dämmrigen Bar. Auf dem Pult stand ein Pappschild mit der Aufschrift FREIE TISCHWAHL.

»Das gilt uns«, sagte Sandra und ging voraus, vorbei an dem Pult und durch den großen Raum in die Bar, die zu dieser Zeit stärker besucht war als die Speiseräume, aber auch ruhiger und gemütlicher beleuchtet. Der Raum war breit, mit dem Tresen am anderen Ende, Nischen mit hohen Rückwänden auf beiden Seiten und Tischen mit schwarzen Resopalplatten in der Mitte.

Sandra zeigte auf eine Nische auf der linken Seite: »Da wären wir unter uns.«

»Gut«, sagte Parker.

Sie gingen hinüber. Sandra setzte sich so, dass sie den Eingang im Auge behalten konnte, Claire ihr gegenüber und Parker neben Claire. Von seinem Platz aus konnte er in der verspiegelten Wand hinter dem Tresen recht gut den ganzen Raum bis zum Eingang überblicken.

Fast sofort erschien eine junge Kellnerin in Schwarz, die hohe schwarze Speisekarten an ihre Brust drückte. »Die Abendkarte?«

»Wir haben schon gegessen«, sagte Claire. »Nur Drinks.«

»Für mich die Karte bitte«, sagte Sandra.

Claire und Parker bestellten beide Scotch on the rocks, Sandra entschied sich für fritierte Shrimps und ein Glas Rotwein. Als die Kellnerin gegangen war, erklärte Sandra: »Ich hab noch gar nichts gegessen, ich bin ja gerade erst angekommen.«

»Sie hatten es eilig«, sagte Parker.

Sandra sah ihn freimütig an. »Ich war neulich nicht darauf aus, euch Jungs Ärger zu machen«, sagte sie, »und ich hab's auch jetzt nicht vor. Aber die Lage hat sich geändert.«

»Weil Keenan tot ist«, mutmaßte Parker.

»Und weil meine Auftraggeber beim Staat mir Druck machen.«

Parker sagte: »Sie wollen, dass Sie Ihren Informanten preisgeben?«

»Wo denken Sie hin. So läuft das nicht.« Zu Claire sagte sie: »Manchmal brauchen die staatlichen Stellen Informationen. Die Abmachung lautet: Wenn man diese Informationen besitzt, ein legitimer, zugelassener Ermittler ist und ihnen diese

Informationen überlässt – oder sie ihnen verkauft –, dann fallen sie einem nicht in den Rücken. Also eine Art Immunität, zusätzlich zum Scheck.«

»Nicht schlecht«, sagte Claire.

»Was ist schiefgegangen?« wollte Parker wissen.

»Harbin war ein zu gefragter Typ«, sagte Sandra, und die Kellnerin brachte das Bestellte. »Ich muss unbedingt erst mal was essen.«

Sie hatte Hunger. Sie verschlang zwei Mundvoll Shrimps und schüttete den Rotwein hinunter, als wäre es Bier. Parker betrachtete die anderen Gäste im Raum.

Touristen. Niemand sah wie ein Einheimischer aus, es waren alles Leute, die noch nicht ins Bett wollten. Sie unterhielten sich leise und ungezwungen, wenn auch hier und da von einem Gähnen unterbrochen. Niemand sah aus wie ein Polizist.

Sandra winkte der Kellnerin, rief ihr zu: »Das gleiche noch mal« und sagte zu Parker: »Drei verschiedene Stellen hatten ein Kopfgeld auf Harbin ausgesetzt, eine vierte hatte ihn an der Leine, aber keine wusste von den anderen. Jetzt müssen sie das alles aufdröseln und sich einig werden, aus welchem Topf das Geld kommen soll, wenn sie mich dann bezahlen. Im Moment liegen sie sich noch in den Haaren.«

»Darüber, wer Sie auszahlen muss?«

»Ja, so ungefähr.« Sandra zuckte die Achseln, und jetzt nippte sie nur noch von dem Wein. »Aber inzwischen laufen bei mir natürlich Spesen auf, wie Sie wissen.«

»Ich weiß«, sagte Parker.

»Roy war zu lange an der Sache mit Harbin dran«, sagte Sandra. »Deswegen ist er am Schluss unvorsichtig geworden. Er hat gemeint, so ein mickriger Anfänger kann nicht einfach

so verschwinden. Wir sind also schon fast auf dem Zahnfleisch gegangen, als ich endlich die Antwort auf meine Frage
gekriegt habe, und das Blöde ist, ich geh immer noch auf dem
Zahnfleisch, solange die nicht in die Gänge kommen.«

»Zu dumm«, sagte Parker.

»Womit Sie sagen wollen«, sagte Sandra, »dass Sie das einen Dreck interessiert. Aber die einzigen beiden anderen Stellen, wo ich auf die Schnelle Bargeld zur Überbrückung her-
kriegen könnte, sind Ihre Beute und Mr. Nicholas Dalesia.«

»Dalesia?« fragte Parker.

»Die haben doch bestimmt ein Kopfgeld auf ihn ausgesetzt,
so wie die Dinge jetzt liegen«, sagte Sandra. »Und das kommt
dann von einer einzigen Stelle. Also gibt's keine Wartezeit.«

»Ich weiß nicht, wo er ist«, sagte Parker. »Das hab ich Ihnen
schon gesagt.«

»Ich weiß, und ich glaube Ihnen, und ich glaube auch, wenn
Sie herausbekämen, wo er ist, würde er nicht mehr lange leben, weil er viel gefährlicher für Sie ist als ich oder sonstwer.«

»Vielleicht.«

Die Kellnerin brachte Sandras Nachschlag, und sie aß noch
ein Weilchen, dann sagte sie: »Sie wissen, dass sich Dalesia in
diesem Moment keine fünfzehn Kilometer von hier aufhält.«

»Wahrscheinlich.«

»Er hat kein Geld, keine Papiere, kein Fahrzeug. Kennt er
hier irgendwen, zu dem er gehen kann?«

»Nicht, dass ich wüsste.«

Sandra dachte nach. »Vielleicht jemand, der ans Haus gefesselt ist. Für ein paar Tage.«

»Auch solche Leute bekommen Besuch, Anrufe, Medika-
mente«, sagte Parker.

»Der taucht schon wieder auf. Typen wie den wird man nie

los.« Sandra tupfte sich mit der Papierserviette den Mund ab. »Der springende Punkt ist, Sie wissen, wo ich stehe.«

»Ja, auf meinen Zehen«, sagte Parker.

»Tut mir ja leid«, sagte Sandra. »Aber ich brauche Geld, und da ist welches oder wird welches sein. Sie wissen ja, dass ich über Sie und Ihre Partner Dossiers habe.«

»Die Ihre Freundin draußen auf Cape Cod für Sie aufbewahrt.«

»Ja, aber sie ist weggefahren, auf Besuch«, sagte Sandra.

Parker nickte. »Ach wirklich?«

»Vielleicht zu Verwandten, vielleicht zu Freunden. Vielleicht hierhin, vielleicht dorthin. Sie hofft, recht bald von mir zu hören.«

Claire mischte sich ein. »Sandra, Sie scheinen mir wirklich eine intelligente Person.«

»Danke«, sagte Sandra und bedachte Claire mit einem kühlen Blick, der kaum eine Frage enthielt.

»Und das heißt«, fuhr Claire fort, »Sie wissen genau, was Sie mit diesem Gespräch erreichen wollen.«

»Klar«, sagte Sandra achselzuckend. »Eine Partnerschaft.« Sie wandte ihren kühlen Blick Parker zu. »Ich als Rechtsnachfolgerin von Nick Dalesia, gewissermaßen«, sagte sie.

Parker fragte: »Sie wollen seinen Anteil?«

»Den hab ich nicht verdient«, sagte Sandra, »weil ich beim ersten Akt nicht dabei war. Aber die Hälfte sollte es schon sein; Sie und McWhitney können sich ja die andere Hälfte teilen.« Sie winkte noch einmal der Kellnerin, machte mit der Hand das Zeichen für Unterschreiben und sagte: »Da wir ja hier etwas Geschäftliches besprechen, zahle ich mal. Sie brauchen nicht zuzustimmen oder irgend etwas zu sagen. Ich bin mit im Boot, basta. Es ist nicht Ihre Schuld und meine auch nicht, und wir werden lernen müssen, damit zu leben. Außerdem werden Sie feststellen, dass ich mich nützlich machen kann. Aber erst mal machen wir's uns gemütlich, drüben im – wie heißt es noch?«

»Wartezimmer«, sagte Claire.

ZEHN

Als sie hinter Sandra das Wayward Inn verließen, sagte Parker leise: »Lass sie vorausfahren.«

»Okay.«

Sie wünschten einander eine gute Nacht, sagten, man sehe sich morgen früh, und stiegen in die Autos. Claire brauchte eine Weile, bis sie den besten Platz für ihre Handtasche gefunden hatte, und inzwischen hatte Sandra schwungvoll zurückgesetzt und steuerte auf die Ausfahrt zu.

Sie fuhren hinter ihr her, und Parker sagte: »Bleib ein Stück zurück. Sie wird dich im Rückspiegel behalten, aber zurückfallen lässt sie dich.«

»Du wirst ihr nichts tun, oder?«

»Ich kann nicht. Als sie und ihr Partner Keenan auf die Suche nach Harbin gegangen sind, haben sie Dossiers über die Männer bei dem Treffen angelegt, bei dem er verschwunden ist. Nelsons Bar, Nicks Anrufe bei dir. Wenn Sandra etwas zustößt, übergibt ihre Freundin auf Cape Cod die Unterlagen der Polizei.«

»Meine Telefonnummer haben sie schon.«

»Wenn sie sie aus einer anderen Quelle noch mal bekommen, ist das ein Grund, sich näher damit zu befassen. Das wirst du nicht wollen.«

Claire schüttelte den Kopf, ohne Sandras Rücklichter aus den Augen zu lassen. »Wenn es sein muss, gebe ich mein Haus auf«, sagte sie. »Und werde zu Claire Irgendwer. Aber nur, wenn es sein muss.«

»So weit werden wir's nicht kommen lassen, wenn es irgend geht«, sagte Parker. »Im Moment ist Sandra auf der Hut, irgend etwas könnte sie in Fahrt bringen. Über ihre Freundin weiß ich gar nichts. Aber bis jetzt haben wir noch alles im Griff. Das Schlimmste wäre, wenn McWhitney dahinterkäme, dass sie hier ist.«

»Warum?«

»Er würde sie umbringen, auf der Stelle, und sich erst hinterher Sorgen wegen der Dossiers machen. Dann müssen wir alle sehen, wo wir bleiben.«

Claire grübelte darüber nach. »Meinst du, er kommt her?«

»Jetzt noch nicht, nicht dieses Wochenende, er muss sich ja um seine Bar kümmern. Aber Anfang nächster Woche vielleicht schon. Da vorn an der Kreuzung biegst du links ab. Auf der rechten Seite ist ein Lebensmittelladen, mit einem Parkplatz dahinter. Da fährst du rein und schaltest alles aus.«

Claire nickte und sagte: »Hab ich mir schon gedacht, dass wir nicht direkt zurückfahren.«

Über der Kreuzung hing ein gelbes Blinklicht. Sandras Honda fuhr darunter durch und geradeaus weiter. Claire bog links ab, ohne zu blinken, nahm die Einfahrt hinter dem Lebensmittelladen und fuhr scharf rechts auf den Parkplatz. Sie stellte den Toyota dicht hinter einen Müllcontainer und schaltete alles aus. Sie warteten, und dann fuhr ein schwarzer Wagen auf der Straße vorbei, von links nach rechts, und beschleunigte.

Parker sagte: »Gib ihr eine Minute, dann fährst du raus und geradeaus über die Kreuzung.«

»In Ordnung«, sagte sie. »Wohin geht's?«

»Ich will mal nach dem Geld sehen«, sagte Parker. »Jetzt! Fahr los!« Als sie auf die Straße hinausfuhren, sagte er: »Wozu der ganze Zirkus, wenn das Geld längst weg ist!«

»Lass mich da vorn rechts an der Abzweigung aussteigen. Dann fährst du einfach eine halbe Stunde durch die Gegend.«

»Alles klar«, sagte sie und hielt an der Ecke. In den beiden Häusern, die man vor dort aus sah, war alles dunkel. »Bringst du was mit?« fragte sie.

»Nein«, sagte er. »Wir brauchen keine Muster. Wir müssen nur wissen, dass es noch da ist. Unbewacht.«

Er stieg aus und ging die dunkle Landstraße entlang. Der Himmel war teilweise bedeckt, aber im Sternenlicht hob sich immerhin der Asphalt von der Bankette ab.

Es war kurz vor Mitternacht, an einem Donnerstag im Oktober. Auf der Straße rührte sich nichts, und in den wenigen Wohnhäusern, an denen er vorbeikam, brannte nirgends Licht. Schon bald konnte er rechts vorn den Umriss der Kirche ausmachen. Es war ein kleiner weißer Schindelbau mit hölzernem Turm. Auf der anderen Straßenseite, bei Nacht schwer zu sehen, stand ein schmales, eingeschossiges weißes Schindelhaus, das früher einmal zur Kirche gehört haben musste. Beide Gebäude standen seit langer Zeit leer.

Parker fing mit dem Haus an. Falls Polizisten auf der Lauer lagen und alles beobachteten, hätten sie hier am bequemsten warten können.

Doch das Haus war leer und, wie er nach dem Überqueren der Straße feststellte, die Kirche ebenso. Nichts deutete darauf hin, dass irgend jemand darin gewesen war, seit er, Dalesia und McWhitney sich vor einer Woche abgesetzt hatten.

Schließlich stieg er zur Empore hinauf, um nach dem Geld

zu sehen. Die Bank hatte ihr Bargeld in handelsüblichen weißen rechteckigen Kartons transportiert, und die Kirche hatte
ihre Mess- und Gesangbücher auf die gleiche Weise oben in
der Empore aufbewahrt; nicht in denselben, aber in ähnlichen
Kartons. Parker, McWhitney und Dalesia hatten die Kartons
der Bank mit denen der Kirche zusammengestellt und sie so
angeordnet, dass für den Fall, dass jemand heraufkam und in
die Kartons schaute, die in der vordersten Reihe nur Bücher
enthalten würden.

Das war immer noch so. Und die Kartons dahinter und darunter enthielten immer noch die dichtgestapelten Geldbün-
del. Nichts war verändert worden. Das Geld wartete noch auf
sie.

Als sie ins Bosky Rounds zurückkamen, saß jemand im Dunkeln auf der Veranda, in einem Schaukelstuhl. Sandra schau-
kelte nach vorn ins Licht und sagte: »Haben Sie unser Geld besucht?«

»Ihr Anteil ist noch da«, sagte Parker.

ELF

Das Frühstückszimmer im Bosky Rounds war kleiner als der Aufenthaltsraum, ein mit quadratischen Zweiertischen vollgestellter, länglicher Raum an der rechten vorderen Ecke des Hauses, überwiegend mit Ausblick auf die Straße. An diesem Freitagmorgen frühstückten Parker und Claire spät, jeder mit einem anderen Teil der *New York Times*. Parker saß mit dem Gesicht zur Tür, durch die man den Eingangsbereich und Mrs. Bartletts Empfangstheke sah.

Das Glöckchen über der Haustür bimmelte, eine Frau erschien und blieb vor Mrs. Bartletts Theke stehen, ihr Profil Parker zugewandt. Sie war eine gutaussehende Blondine in den Zwanzigern, groß und schlank, mit einer hellbraunen Hirschlederjacke, schokoladenbraunen Slacks, schwarzen Stiefeln und einer schweren schwarzen Umhängetasche auf der linken Hüfte. Parker kannte sie, und auch sie würde ihn erkennen. Es war Detective Second Grade Gwen Reversa.

Leise sagte Parker: »Heb deine Zeitung hoch und lies weiter.«

Claire tat es, und ihr Gesicht und der Raum hinter ihr verschwanden hinter Zeitungspapier. Draußen unterhielten sich Mrs. Bartlett und Detective Reversa wie gute Freundinnen. Parker konnte nicht verstehen, was sie sagten, und dann klingelte das Glöckchen aufs neue, und als er »Okay« sagte und Claire die Zeitung sinken ließ, war Mrs. Bartlett wieder allein.

»Darf ich hinsehen?« fragte Claire.

»Sie ist weg.«

Claire schaute trotzdem, dann sagte sie: »Sie ist ein Cop.«

»Staatspolizei. Zivil. Hast du mitbekommen, was sie gesagt haben?«

Claire zuckte die Achseln. »Sie hat sich nur umgeschaut. Wollte wissen, ob Mrs. Bartlett was Interessantes gesehen hätte, seit sie das letztemal miteinander geredet haben.« Ohne Ironie sagte sie: »Die Antwort war nein.«

»Gut.«

»Aber sie würde dich wiedererkennen?«

»Sie hat mich bei einer Verkehrskontrolle überprüft, vor dem Coup. Wegen ihr musstest du den Lexus als gestohlen melden und den Leihwagen besorgen.«

»Ich mochte den Lexus«, sagte Claire.

»Das wär dir vergangen.«

»Weiß ich doch.« Claire drehte sich noch einmal um und schaute zu der Stelle, wo die Polizistin gestanden hatte. »Aber sie war *hier*!«

»Sie ist an der Fahndung beteiligt«, sagte Parker. »Sie war von Anfang an auf den Raubüberfall angesetzt. Sie und ein paar andere geistern hier immer noch herum, weil sie wissen, dass Nick hier irgendwo sein muss – und das Geld ebenso.«

»Dann kannst du nicht hierbleiben«, sagte Claire. »Wo sie doch weiß, wie du aussiehst.«

»Ja«, sagte er. »Wir müssen das rasch hinter uns bringen.«

In der Ecke von Mrs. Bartletts Büro stand ein niedriges geblümtes Sofa. Sandra Loscalzo hatte sich darauf niedergelassen und sah sich Karten der Umgebung und Prospekte aus einem an der Wand hängenden Regal an. Mrs. Bartlett saß an ihrem Schreibtisch und löste Kreuzworträtsel in einem Buch. Parker blieb stehen und sagte zu ihr: »Wir haben gedacht, Sie könnten uns vielleicht einen Rat geben.«

»Gern, wenn ich kann«, sagte sie und legte den Bleistift weg.

»Also«, sagte er, »wir würden uns gern die Landschaft hier von einem erhöhten Punkt aus ansehen, um uns einen Überblick über das ganze Gebiet zu verschaffen.«

»Oh, da weiß ich genau das Richtige«, sagte Mrs. Bartlett und nahm eine der Karten aus dem Regal neben Sandra, die nicht von ihren eigenen Recherchen aufblickte. »Das war ein Schlachtfeld im Unabhängigkeitskrieg. Der Ausblick ist überwältigend. Rutledge Ridge.«

Mit einem Rotstift zeichnete sie die Route auf der Karte ein und sagte dabei die Namen der Straßen auf. Sie dankten ihr und legten die Karte draußen in den Toyota.

Sandra fuhr fünf Minuten nach ihnen zu dem Aussichtspunkt hinauf. Nach drei Seiten sah man auf Wald hinab, der in bunten Herbstfarben leuchtete, nur nach Norden zu stieg das Gelände weiter an. Außer ihnen waren nur ein paar andere Touristen hier oben, und der Parkplatz war so groß, dass man gut für sich bleiben konnte.

Sandra stieg aus dem Honda und kam zu der niedrigen Mauer herüber, die den Platz umgab. Claire hatte sich auf der Mauer niedergelassen, Parker stand neben ihr. »Sie kennen diese Polizistin«, sagte sie statt einer Begrüßung.

»Sie kennt mich«, sagte Parker.

»Hab ich schon gemerkt.« Zu Claire sagte sie: »Sehr gekonnt, das mit der Zeitung.«

»Das ist Ihnen aufgefallen?«

»Na ja, es geht ja auch um meine Interessen.« Zu Parker

sagte sie: »Sie waren heute nacht dort. Können wir hinfahren und es holen? Oder wie lange wollen wir noch warten?«

»Ich will überhaupt nicht warten, jetzt, wo die Polizistin hier ist«, sagte Parker. »Aber dass sie hier ist, bedeutet, dass wir immer noch mit viel Polizei rechnen müssen. Die fahnden nach einer Ladung schwerer Kartons voller Geldscheine. Wenn man hier und heute einen Transporter mietet, hält einen bestimmt jemand an und lässt sich die Papiere zeigen.«

»Wie wär's mit drei oder vier Autos? Sie, ich, Claire und McWhitney.«

»Vier Ortsfremde, die sich abseits der Touristenrouten zu einem kleinen Konvoi zusammenrotten?«

Sandra sah stirnrunzelnd in die Gegend, anscheinend ohne Blick für die Schönheiten der Landschaft. »Wenn ich wüsste, wo Sie das verdammte Geld versteckt haben –«

»In einer Kirche«, sagte er.

Sie sah ihn an, um festzustellen, ob er die Wahrheit sagte. »Einer Kirche?«

»Nick Dalesia hat sie entdeckt. Steht seit Jahren leer. Wasser und Strom sind abgeschaltet, aber noch vorhanden. Wir wollten uns da für eine Nacht verkriechen, aber dann wurde uns der Boden doch zu heiß, und wir mussten das Geld zurücklassen.«

»In Kartons.«

»Ja, auf der Empore. Da waren schon Kartons von der Kirche, Gesangbücher und so.«

»Na wunderbar.« Sandra ging auf und ab und rieb sich mit der rechten Faust die linke Handfläche. »Mir ist klar, dass Sie mir nicht sagen wollen, wo diese Kirche ist, noch nicht, aber das ist schon okay. Wenn's soweit ist, fahren wir zusammen hin.«

»Genau«, sagte Parker.

»Außer«, sagte Claire, »du kannst nicht mehr hierbleiben.«

»Kann er nicht mehr«, sagte Sandra.

»Wenn ich jetzt verschwinde und wiederkomme, wenn die Polizei abgezogen ist«, sagte Parker, »kann in der Zwischenzeit einiges passieren.«

Sandra ging weiter auf und ab und rieb sich die Handfläche, dann blieb sie stehen. »Wissen Sie was?« sagte sie. »Sie und ich, wir fahren zusammen nach Long Island runter, sechs, sieben Stunden, und besprechen es mit McWhitney.«

Parker sah sie an. »Sie wollen mit McWhitney reden?«

Sandra zuckte die Achseln. »Keine Angst. Ich bin kein Roy Keenan. Ich will ihn nicht ausbooten. Aber wir werden ihm sagen, Sie und ich, dass wir eine Abmachung haben. Einverstanden?«

»Die Hälfte von Nicks Anteil.«

»Wir fahren gleich los«, sagte Sandra. »Dann sind wir noch bei Tag dort. Claire kann hier die Stellung halten und Mrs. Apfelkuchen sagen, dass wir wiederkommen. Ja?«

»Klar«, sagte Claire. »Aber warum wollen Sie fahren?«

»Weil Sie bis jetzt gefahren sind«, sagte Sandra. »Und zwar deshalb, weil er nicht sicher ist, ob sein Führerschein den Polizeicomputern standhält. Ich dagegen, ich bin so sauber, dass sie mir jedesmal eine Goldmedaille verleihen, wenn sie mich sehen.« Sie sah Parker fragend an. »Gehen wir?«

Parker schaute auf seine Uhr. Bald zehn. Zu Claire sagte er: »Es wird spät werden.«

Sie nickte. »Ich werde dasein.«

ZWÖLF

Sandra raste zwar nicht, aber sie fuhr aggressiv und nützte auch die kleinsten Lücken aus, die der Verkehr oder die Straße ihr ließen. Es war noch nicht ganz halb vier, als sie schräg gegenüber von McWhitneys Bar parkten, in deren Fenster die Neonreklame McW leuchtete. »Überraschung«, sagte sie und bedachte Parker mit einem schiefen Lächeln.

»Er mag keine Überraschungen«, sagte Parker.

An diesem Freitagnachmittag um halb vier war im McW viel mehr Betrieb als beim letztenmal; das Lokal war halbvoll, und man hatte das sichere Gefühl, dass noch mehr Gäste kommen würden. McWhitney hatte schon einen zweiten Barkeeper, obwohl er ihn eigentlich noch nicht gebraucht hätte. Er war sehr beschäftigt, Augen und Hände pausenlos in Bewegung, aber er sah Parker und Sandra hereinkommen, wandte sich sofort ab und sagte etwas zu seinem Helfer. Er nahm die Schürze ab, ging nach hinten, zeigte nach links auf eine leere Nische und kam um den Tresen herum zu ihnen.

»Der Löwe liegt beim Lamm«, sagte er, ohne zu lächeln.

Sandra grinste ihn an. »Wer ist was?«

»Sie haben doch Ihren Harbin«, sagte McWhitney, ohne seine Abneigung zu verbergen. »Noch mehr Sonderangebote gibt's nicht.«

Sandra wandte sich Parker zu. »Sagen Sie's ihm.«

»Sie weiß von der Kirche«, sagte Parker. »Und sie ist dabei. Die Hälfte von Nicks Anteil.«

»Sie weiß von der *Kirche*?« McWhitney war beleidigt. »Sie war *dort*?«

»Ich weiß nicht, wo sie ist«, sagte Sandra. »Er will's mir nicht sagen. Aber ich glaube, ich kann euch helfen, das Geld rauszuholen.«

McWhitney sah Parker stirnrunzelnd an. »Gefällt mir nicht.«

»So war das auch nicht geplant«, räumte Parker ein. »Aber das da oben ist immer noch ein Hornissennest, und die Hornissen fliegen immer noch herum.«

»Da ist eine Polizistin, die ihn kennt«, sagte Sandra. »Um ein Haar wäre er aufgeflogen.«

McWhitney sah Parker an. »*Die* Polizistin?«

»Genau die.«

McWhitney lehnte sich zurück, als sein Barkeeper drei Bier brachte und wortlos wieder ging. Er trank einen kleinen Schluck und sagte: »Also müssen wir uns allesamt erst mal verdrücken.«

»Für wie lange?« fragte Parker. »Bis sie Nick wieder schnappen? Bis Nick es doch zur Kirche schafft und Kassensturz macht? Bis irgendwelche Kids da mal in der Nacht rumturnen und es finden?«

McWhitney nickte, zeigte aber auf Sandra. »Aber was hat die damit zu tun? Rein zufällig taucht sie mal hier, mal da auf, und jedesmal, wenn wir sie sehen, geben wir ihr Geld? Die Hälfte von Nicks Anteil? Und wenn Nick auftaucht?«

»Bringen Sie ihn um«, sagte Sandra.

McWhitney schüttelte den Kopf. »Ich verstehe noch immer nicht, was Sie hier verloren haben.«

»Ich helfe beim Graben«, sagte Sandra und wies mit einer Kopfbewegung nach unten. »Wahrscheinlich hier in Ihrem Keller.«

»Mein Keller geht Sie gar nichts an.«

»Außerdem«, sagte Sandra, »weiß ich eine Möglichkeit, an das Geld zu kommen.«

»Warum sagen Sie das erst jetzt?« fragte Parker.

»Ich wollte erst dieses Treffen und mich dann entscheiden: Lohnt sich der ganze Aufwand für mich, oder soll ich euch einfach aufs Kreuz legen und mein eigenes Ding durchziehen?«

»Hör dir das an«, sagte McWhitney.

Parker sagte: »Sie haben sich was ausgedacht, wie man das Geld da rauskriegt?«

»Ich glaub schon.« Zu McWhitney sagte sie: »Kennen Sie sich gut aus in der hiesigen Geschäftswelt?«

»Ziemlich gut.«

»Kennen Sie einen Gebrauchtwagenhändler, vielleicht einen von der eher schäbigen Sorte?«

McWhitney grinste, zum erstenmal, seit er Sandra erblickt hatte. »Davon kenne ich mindestens ein Dutzend«, sagte er. »Was brauchen Sie?«

»Einen Transporter. Einen kleinen, ramponierten alten Lieferwagen, irgendwas in der Art. Schwarz wäre am besten, damit er nicht zu sehr auffällt.«

»Einen Lieferwagen«, sagte McWhitney angewidert. »Um damit die Beute wegzuschaffen?«

»Genau.«

»Was ist an dem Wagen so besonders? Ist er unsichtbar?«

»Mehr oder weniger«, sagte sie. »Egal, welche Farbe er hat, und Schwarz wäre mir wirklich am liebsten, mit derselben

Farbe übermalen wir jedenfalls eine etwa schon vorhandene Beschriftung. Dann malen wir, in Weiß, auf beide Türen ›Chor der Erlöserkirche‹.«

»Heiliger Bimbam«, sagte McWhitney.

»Die Erlöser sind wir«, sagte Sandra. »Es macht nichts, wenn der Schriftzug auf den Türen ein bisschen dilettantisch wirkt, aber wir sollten uns schon Mühe damit geben.«

McWhitney nickte langsam. »Der Chor holt seine Gesangbücher ab.«

»Und ein paar davon packen wir auch rein«, sagte Sandra, »für den Fall, dass irgend jemand hinten reinschauen will.«

»Mann, müssen Sie mich denn andauernd beleidigen?« sagte McWhitney. »Dabei hab ich gerade gedacht, Sie sind doch nicht so übel.«

»Ich hab so meine Erfahrungen mit Roy«, sagte sie achselzuckend.

McWhitney lachte laut los. »Da können Sie mir ja dankbar sein, dass ich diese Partnerschaft beendet habe.«

Parker sagte: »Könntest du so einen Wagen beschaffen? Und das mit der Beschriftung erledigen?«

»Bleibt ja wohl an mir hängen, oder?« sagte McWhitney nicht gerade begeistert.

»Sie haben das hier als Aushängeschild«, sagte Sandra mit einer ausholenden Geste. »Die Papiere des Wagens müssen sauber sein, denn die werden Sie mit Sicherheit anhalten, wenn Sie erst mal da oben sind.«

»Schaffst du das noch heute nachmittag?« fragte Parker, »oder müssen wir bis Montag warten?«

»Wenn ich gleich loslege und bis in einer Stunde was finde«, sagte McWhitney, »kann der Händler heute noch die Zulassung erledigen, und ich kann morgen rauffahren. Vielleicht noch mit Händlerkennzeichen, aber mit einwandfreien Papieren.«

Sandra zog eine Visitenkarte hervor und schrieb den Namen und die Telefonnummer der Pension auf die Rückseite. Sie schob sie über den Tisch und sagte: »Rufen Sie uns an, wenn Sie da sind, dann fahren wir zusammen hin. Ich bin schon gespannt auf den Wagen, den Sie auftreiben.«

»Gespannt«, sagte McWhitney, »sind Sie darauf, was Sie in der Kirche erwartet.«

Sandra lächelte. »Erhörte Gebete«, sagte sie.

DREIZEHN

Parker fuhr auf dem Rückweg die erste halbe Stunde, weil sein Ausweis wahrscheinlich noch kein Risiko war, solange sie nicht in den Fahndungsbereich kamen. Auf halber Strecke machten sie halt und aßen zu Abend, in einem Kettenrestaurant an der Straße, wo keine Einheimischen sich später an sie erinnern würden. Während sie auf das Essen warteten, sagte Parker: »Für Sie spielt sich diese ganze Sache auf der falschen Straßenseite ab.«

Sandra verzog das Gesicht. »So sehe ich es nicht«, sagte sie. »Ich finde, es gibt keine Straßenseiten, weil es keine Straße gibt.«

»Was gibt es dann?«

Sie sah ihn prüfend an, unschlüssig, wieviel sie ihm sagen sollte, und schob mit der linken Hand ihre Gabel auf dem Tisch hin und her. Dann zuckte sie die Achseln, ließ die Gabel in Ruhe und sagte: »Ich bin mir schon als kleines Mädchen darüber klargeworden, wie ich mir die Welt vorstellen muss.«

»Nämlich wie?«

»Als einen zugefrorenen See«, sagte sie. »So groß, dass man das andere Ende nicht sieht. Jeden Tag stehe ich auf und muss mich auf dem See ein Stückchen weiterbewegen. Ich muss sehr auf der Hut sein, weil ich nicht weiß, wo das Eis zu dünn wird. Ich muss Augen und Ohren offenhalten.«

»Dabei habe ich Sie schon beobachtet.«

Sie nickte grinsend, als sei sie mit ihm zufriedener als mit sich selbst. »Ja, ich weiß.«

Sie schwiegen beide eine Zeitlang, dann kam das Essen. Die Kellnerin ging wieder, und Sandra nahm ihre Gabel, doch dann hielt sie inne und sagte: »In einem Kriegsfilm, wenn da einer verwundet wird, schreit er ›Sanitäter!‹, und dann kommen sie, bringen ihn weg und flicken ihn zusammen. Wenn man hier draußen verwundet wird und ›Sanitäter!‹ schreit, wissen Sie, was dann passiert?«

»Ja, weiß ich.«

»Es gibt keine Seiten«, sagte sie. »Keine Straße. Wir tun nur, was wir tun müssen, um über den See zu kommen.«

VIERZEHN

Kurz vor neun Uhr abends waren sie wieder in Bosky Rounds. Als Sandra auf den Parkplatz neben dem Haus fuhr, kam Claire von der Veranda herunter und machte ihnen ein Zeichen, nicht auszusteigen. Sie warteten schweigend, und Claire kam herüber, rutschte auf den Rücksitz und sagte: »Wir müssen weg.«

Parker drehte sich halb zu ihr um und schaute sie an. Sie saßen im Dunkeln, weit weg von der Verandalampe. »Warum?«

»Diese Polizistin war wieder hier«, sagte Claire. »Ich hab sie mit Mrs. Bartlett reden hören. Weil sie Nick Dalesia nicht gefunden haben, glauben sie, dass die Räuber alle drei hierher zurückgekommen sind, um ihr Geld zu holen.«

»Wie kommen die denn auf so was?« fragte Parker.

»Ganz einfach«, sagte Claire, »sie glauben nicht, dass Nick sich so lange ohne Hilfe versteckt halten kann, und wer würde ihm sonst schon helfen?«

Sandra sagte: »So würde ich's mir auch zusammenreimen.«

»Nick hat eine Glückssträhne«, sagte Parker. »Gut für ihn, für uns eher weniger.«

»Sie hat Fahndungsplakate mitgebracht«, sagte Claire. »Fotos von Nick, Phantomzeichnungen von den anderen beiden.«

»Die hab ich gesehen«, sagte Parker. »Sie sind nicht ähnlich genug.«

»Nicht, wenn man nur dran vorbeigeht«, meinte Claire.

»Aber wenn du dadrin beim Frühstück sitzt und draußen im Büro hängt eine Zeichnung von dir an der Wand, fällt den Leuten bestimmt was auf.«

»Sie hat die Plakate aufgehängt?« fragte Parker.

»Die pflastern die ganze Gegend damit voll, vor allem öffentliche Räume.« Claire beugte sich vor, legte den Ellbogen auf die Rückenlehne und sagte: »Ich hab schon gepackt. Ist alles im Auto. Ich hab nur noch gewartet, bis du zurückkommst, damit wir gleich losfahren können.«

»Nein«, sagte er.

»Du kannst nicht hierbleiben«, beharrte sie.

»Aber so geht's nicht«, sagte Parker. »Die haben deinen Namen, sie haben deine Adresse, sie haben deine Kreditkartennummer. Nein, du bleibst diese Nacht noch hier, und morgen früh reist du ab. Wenn du bei Nacht und Nebel hier verschwindest, machst du dich bloß verdächtig.«

Claire war nicht wohl dabei. »Und was machst *du*?«

»McWhitney kommt morgen mit einem Lieferwagen, dann holen wir das Geld aus der Kirche. Du hast meine Sachen im Auto?«

»Ja.«

»Die packen wir in dieses Auto um. Du gehst wieder aufs Zimmer und bleibst bis morgen. Ich zeige Sandra, wo die Kirche ist, und ich bleibe über Nacht dort.« Zu Sandra sagte er: »Wenn McWhitney kommt, können Sie ihn zur Kirche führen.«

Sandra sagte: »Das kann aber morgen nachmittag werden.«

»Wenn Sie zur Kirche kommen«, wies Parker sie an, »bringen Sie mir Kaffee und ein paar Teilchen mit.«

»Und wie kommst du dann nach Hause?« wollte Claire wissen.

»Da fällt mir schon was ein«, sagte er.

FÜNFZEHN

»Hier wird's aber keine Lebensmittelläden geben, die auch in der Nacht geöffnet haben«, sagte Sandra.

»Macht nichts«, sagte Parker. »Bis morgen nachmittag werde ich schon nicht verhungern. Bei dem gelben Blinklicht da vorn biegen Sie rechts ab.«

»Wird gemacht«, sagte sie mit einem leicht gereizten Unterton und sah ihn schräg von der Seite an. »Da haben Sie mich letzte Nacht abgehängt.«

»Wieso abgehängt? Sie sind doch vorausgefahren.«

Sie lachte und bog rechts ab. »McWhitney ist sauer«, sagte sie, »weil er ein Sauertopf ist. Sie wissen es besser.«

»Warten wir ab, wie's ausgeht.«

»Keine Mätzchen bitte«, sagte sie. »Wir haben eine Abmachung.«

»Ich weiß.«

»So kommen Sie besser weg. Und McWhitney auch.«

»Sie meinen, wir kriegen unseren Anteil und dazu noch einen Teil von Nicks Geld.«

»Sie kriegen mehr, als Sie ursprünglich bekommen hätten«, sagte sie, »und außerdem haben Sie jetzt eine Partnerin, die Ihnen helfen kann, überhaupt an das Geld ranzukommen.«

»Sie brauchen mich nicht mehr zu überreden«, sagte Parker.

»Entschuldigung«, sagte sie.

»Ich weiß schon, Sie waren an Keenan gewöhnt.«

»Allmählich komme ich drüber weg.«

Bis jetzt hatten sie auf dieser Straße noch kein anderes Fahrzeug gesehen, aber dann erwies sich ein Irrlicht vor ihnen als Pick-up, der ihnen langsam und fast im Zickzack entgegenkam. Offenbar kämpfte der Fahrer mit dem Schlaf. Sandra fuhr ganz rechts ran, um ihn vorbeizulassen, dann blickte sie in den Rückspiegel und sagte: »Schon seltsam, dass die meisten Dummköpfe mit ihrer Dummheit durchkommen.«

»Bis sie sich drauf verlassen«, sagte Parker. »Da vorn ist eine Linkskurve. Haben Sie eine Decke oder so was Ähnliches im Kofferraum?«

»Ich hab immer eine Umzugsdecke dabei«, sagte sie. »Die ist abgesteppt, also wahrscheinlich warm, aber ziemlich steif.«

»Macht nichts. Wir sind jetzt gleich bei der Kirche. Aber nicht anhalten. Die Kirche ist rechts, das Haus links, beide weiß. Sehen Sie's?«

»Sehr einsam«, sagte sie im Vorbeifahren.

»Eine von Nicks besseren Ideen«, sagte Parker. »Finden Sie morgen wieder her?«

»Na klar.« Sie lachte. »Geld finde ich eigentlich immer.«

»Ein Stück weiter«, sagte er, »kommt eine kleine Brücke über einen Bach. Die Straße macht eine Biegung nach rechts, zu der Brücke hinunter, und unmittelbar davor ist auf der rechten Seite ein Parkplatz.«

»Für Angler«, mutmaßte sie.

»Wahrscheinlich. Halten Sie dort, und ich steige aus, nehme die Decke und geh zu Fuß zurück. Ach ja, haben Sie auch eine Flasche Wasser?«

»Direkt unter Ihrem Ellbogen.«

Die Straße machte eine Biegung nach rechts abwärts, und

weiter vorn zeichnete das Eisengitter der Brücke blasse Linien auf den schwarzen Hintergrund. Sandra brachte den Honda zum Stehen. »Dann bis irgendwann morgen.«

»Genau.« Mit der Wasserflasche unterm Arm stieg er aus, öffnete den Kofferraum und zog die steife Matte heraus. Er klappte den Kofferraumdeckel zu und klopfte einmal mit den Knöcheln darauf. Sandra fuhr los, über die Brücke, und nahm das ganze Licht mit.

Es würde eine Minute dauern, bis sich seine Augen an die Dunkelheit gewöhnt hatten. Inzwischen faltete er die deckengroße, gesteppte Matte so zusammen, dass er sie einigermaßen bequem tragen konnte. Am besten ging es, wenn er sie sich wie einen Umhang über die Schultern legte, wodurch er fast wie ein Prärieindianer aussah. Aber so hatte er es warm und nicht unbequem und konnte gut damit gehen.

Zweimal sah er auf dem Rückweg in einiger Entfernung die Scheinwerfer eines entgegenkommenden Autos und ging ein paar Schritte weg von der Straße, einmal in ein Waldstück und das anderemal auf einen schmalen, ansteigenden Fahrweg.

Dann tauchten schemenhaft die beiden kleinen Gebäude aus der Dunkelheit auf. Beide standen leer, aber in dem Haus war es vielleicht wärmer und ein wenig bequemer, weil die Decken nicht so hoch waren wie in der Kirche. Er ging hinein und entschied sich für das kleinere der beiden Zimmer im ersten Stock.

Es war ein langer Tag gewesen; er breitete die Umzugsdecke auf dem Boden aus, wickelte sich hinein und schlief bald ein, und als er aufwachte, kam schon trübes Tageslicht durch das einzige Fenster des Zimmers. Er war steif und nicht richtig ausgeruht, aber er stand auf, trank noch etwas von dem Wasser und ging hinaus, um sich zu erleichtern. Da er schon im Freien war, ging er noch einmal zur Kirche hinüber. Alles beim alten.

Es wurde ein langer, ereignisloser Tag. Ab und zu vertrat er sich die Beine, drinnen oder draußen, dann wieder saß er in dem leeren Haus an eine Wand gelehnt, oder er wickelte sich in die Matte ein und schlief. Irgendwann wachte er auf, als die Strahlen der Nachmittagssonne schräg hereinfielen, und sah Nick Dalesia, der mit überkreuzten Beinen an der gegenüberliegenden Wand auf dem Boden saß. Der Revolver in seiner rechten Hand, der nicht direkt auf ihn gerichtet war, musste der des toten Marshals sein.

Parker setzte sich auf. »Da bist du ja«, sagte er.

SECHZEHN

»Wo hast du dein Auto?« Nick klang nervös, gereizt, wie einer, der keine Zeit für ein langes Palaver hat.

Deswegen lebe ich noch, dachte Parker. Er hat mich hier gefunden und hätte mich erschossen, aber er braucht ein Fahrzeug und hat meins nicht gefunden. »Ich hab keins«, sagte er.

Nicks Nerven lagen blank. Jede Antwort konnte dazu führen, dass er losballerte, nur um etwas zu tun. Er verzog den Mund und sagte: »Und, bist du vielleicht zu Fuß gegangen? Wie bist du hergekommen?«

»Jemand hat mich hier abgesetzt.«

»Wer?«

»Die kennst du nicht.«

»Die? Ich kenne sie nicht?«

»Bloß jemand, der mich ein Stück mitgenommen hat«, sagte Parker. »Ist das wichtig?«

»Ich brauche ein Auto«, sagte Nick, leise und dringlich, als verrate er ihm ein Geheimnis. Er beugte sich vor, jeder Muskel in seinem Körper angespannt. »Ich muss weg von hier«, sagte er. »Nach Norden, da kann ich nach Kanada rüber. Dann könnte ich für eine Weile mit dem Rennen aufhören und mir überlegen, was ich als nächstes mache.«

Es gab nur eine Möglichkeit für Nick, mit dem Rennen aufzuhören, aber das sagte Parker nicht. Mit einer Kopfbewegung zu dem Revolver hin sagte er: »Du hast ja den da. Das kann nicht schaden.«

Nick sah mit Widerwillen den Revolver an. »Dafür hab ich teuer bezahlt, Parker«, sagte er.

»Ich weiß.«

Nick zuckte unwillig die Achseln. »Manche sterben lieber als Helden, statt am Leben zu bleiben.«

»Wir nicht.«

»Nein.« Nick starrte Parker an, als hätte er etwas zugleich Rätselhaftes und gefährlich Aufreizendes an sich. Dann stieß er unvermittelt den Griff des Revolvers neben seinem Bein auf den Boden, und das dumpfe Geräusch ließ ihn zusammenzucken. »Was machst du hier?« fragte er, als ob das eine Rolle spielte.

»Ich wollte nach dem Geld sehen.«

»Du wolltest das Geld *holen*.«

»Dazu ist es noch zu früh«, sagte Parker. Wenn er Nick weiterhin diese gleichmütige Miene zeigte und vernünftig mit ihm redete, ihn nicht provozierte, würde er sich vielleicht so weit beruhigen, dass er wieder zu Verstand kam. Aber vielleicht auch nicht.

Doch wie sollte er bei diesem Abstand an ihn herankommen? Anderthalb Meter Bodendielen lagen zwischen ihnen, mit einem Revolver am anderen Ende.

Nach wie vor gelassen, mit derselben ruhigen Stimme, sagte Parker: »Die Polizei hat verbreitet, dass du ihnen entkommen bist, bevor sie dich was fragen konnten. Ich weiß nicht, ob das stimmt oder nicht. Ich hab mir gedacht, wenn das Geld noch da ist, dann stimmt es.«

»Das hätte mir vielleicht vorher was gebracht«, sagte Nick. »Aber jetzt nicht mehr.«

»Nein, jetzt nicht mehr.«

Nick schüttelte den Kopf, und sein Ärger verwandelte sich in Abscheu. »Du weißt, warum sie mich geschnappt haben.«

»Wär mir um ein Haar auch passiert«, sagte Parker. »Wenn ich das von dir nicht gehört hätte, hätte ich das Zeug auch unter die Leute gebracht.«

»Wär mir lieber gewesen, *du* hättest es gemacht«, gestand Nick, zu sehr mit seinen Problemen beschäftigt, um zu heucheln. »Dabei hatte ich selber gesagt, dass wir die Scheine am besten wegwerfen.«

»Hab ich auch getan.«

»Und dann bist du doch zurückgekommen.« Verwirrung, Wut und Hilflosigkeit waren in Nick so übermächtig, dass er seinen Revolver vergaß und ihn bald hierhin, bald dorthin richtete, während er sich seine Lage gestikulierend selbst zu erklären versuchte. »Was mir nicht in den Kopf will«, sagte er und sah Parker durchdringend an. »Das ist jetzt über eine Woche her. Du warst draußen, du warst frei und in Sicherheit und bist trotzdem zurückgekommen.« Plötzlich misstrauisch geworden, schielte er zur Tür und fragte: »Ist Nelson auch hier?«

»Nein, Nick.«

»Hat *er* dich hergefahren? Er holt was zu essen, stimmt's?«

»Ich fahre nicht mit McWhitney«, sagte Parker. »Das weißt du doch.«

»Ich weiß, dass dich jemand hergebracht hat«, sagte Nick. »Jemand fährt dich, du bleibst eine Weile, du schläfst – Also muss dir auch jemand was zu essen bringen. Jemand mit einem Auto. Warum hast *du* kein Auto?«

»Ich gondel doch nicht hier in der Gegend rum, Nick. Ich darf nicht auffallen. Ich hab keinen sauberen Ausweis.«

»Du würdest nicht mal –« Nick brach ab und runzelte die Stirn. Dann sagte er, als hätte er plötzlich die Lösung eines Rätsels gefunden: »Du *wartest*.«

»Stimmt.« Parker schüttelte die Matte von seinen Beinen.

Nick verkrampfte sich. Der Revolver zeigte jetzt auf Parkers Augen und zitterte nur ganz leicht. »Keine Bewegung!«

»Ich bewege mich nicht, Nick. Ich bin bloß steif geworden, vom Schlafen hier auf dem Boden.«

»Du könntest noch steifer werden.«

»Das weiß ich, Nick.« Er wird jeden Moment abdrücken, sagte sich Parker. Von dem Gerede kann er sich nichts mehr erhoffen. Und er traut sich nicht, mich am Leben zu lassen.

»Parker …« sagte Nick und verstummte. Es klang fast bedauernd.

»Wir könnten uns gegenseitig helfen, Nick«, sagte Parker. »Das wär besser für uns beide. Ich hab Wasser hier«, sagte er und hielt die Flasche mit der linken Hand hoch. »Damit ich nicht verdurste, bis ich abgeholt werde. Es ist bloß Wasser. Überzeug dich selber.« Aus dem Handgelenk warf er die Flasche im hohen Bogen in Richtung von Nicks Schoß.

Nick sah zu, wie die Flasche hochstieg und herabfiel, und Parker packte mit der rechten Hand eine Ecke der Matte. Er schleuderte sie nach Nicks Kopf und stürzte sich auf ihn.

Die Kugel durchschlug zuerst die gesteppte Matte.

TEIL ZWEI

EINS

Eine Woche zuvor, bloß zwei Tage nach dem großen Überfall auf den Geldtransport, begann Dr. Myron Madchens Horrorwoche. Dabei hatte er schon gedacht, seine mehr als lose Verbindung mit der Geschichte sei begraben und vergessen, als hätte es sie nie gegeben.

Und in gewisser Weise hatte es sie auch nie gegeben. Schließlich hatte er dem einen Räuber doch kein Alibi verschafft, und er war auch nicht an der Beute beteiligt worden. Als es dann endlich soweit war, hatte er genaugenommen gar nichts mit der Sache zu tun gehabt. Alles hatte sich ganz ohne sein Zutun geklärt, und er war zu Hause und nach wie vor ein freier Mann. Zumindest hatte er das geglaubt.

An diesem Sonntag abend, zwei Tage nach dem Überfall, waren er und Isabelle gepflegt essen gegangen, in einem Restaurant außerhalb, dem Wayward Inn, und dort hatten sie ihre Zukunftspläne festgeklopft. Nur ein bisschen Geduld mussten sie noch haben. Schließlich war er eben erst ganz unerwartet Witwer geworden, und es wäre ungehörig gewesen, hätten er und Isabelle sich so bald danach in der Öffentlichkeit als verliebtes Paar gezeigt.

Deshalb waren sie getrennt zum Wayward Inn gefahren, hatten zusammen diniert, zusammen gelacht, einander tief in die Augen geschaut und sich mit einem keuschen Kuss auf dem Parkplatz verabschiedet. Auf der Heimfahrt hatte der

Arzt, ein untersetzter Mann in den Fünfzigern mit dichtem, eisengrauem, streng zurückgekämmtem Haar und großen Brillengläsern, am Steuer ständig gesungen, ebenso laut wie falsch, was er früher nie getan hatte.

Als er sein Haus betrat, kam es ihm größer vor als sonst und wärmer. Außerdem war es leer, denn er hatte Estrella eine Woche bezahlten Urlaub gegeben, weil er lieber unbeobachtet sein wollte, solange er sich noch an die neue Situation gewöhnen musste.

Er hatte vergessen, Licht anzumachen, bevor er aus dem Haus gegangen war. Es war noch nicht dunkel gewesen, und er war es nicht gewöhnt, dass in seiner Abwesenheit niemand im Haus war. Jetzt wollte er es hell haben, so hell wie möglich, ging in dem großen Haus von Zimmer zu Zimmer und schaltete überall Lampen und Neonröhren, Wandleuchten und Lüster an, bis er in den kleinen Raum neben seinem Schlafzimmer kam, den er lächerlicherweise als sein Büro ansah – er würde demnächst in einen größeren Raum umziehen. Als er die Deckenbeleuchtung anknipste, sagte eine Stimme in der Ecke: »Ausmachen.«

Fast wäre er ohnmächtig geworden. Er klammerte sich an den Türpfosten, um nicht umzukippen, und starrte den Gangster an.

Es war einer der Räuber, derjenige, der geschnappt worden und wieder entkommen war, einer der beiden, die ihn letzte Woche bedroht hatten, weil sie fürchteten, er würde irgend etwas über den geplanten Raubüberfall ausplaudern. Was er nie getan hätte, niemals; das war ja auch für ihn wichtig, zumindest hatte er es für lebenswichtig gehalten, bevor Ellen … ihren Herzanfall gehabt hatte.

»Ausmachen!«

»Ja! Ja!«

Er hatte den Mann ungläubig angestarrt und erst gar nicht auf das gehört, was er sagte, doch jetzt drückte er erneut auf den Schalter, und das Zimmer lag wieder im Halbdunkel. Im Licht aus dem Schlafzimmer hinter ihm sah er seinen Schreibtisch und seinen Sessel, den Hängeschrank, die gerahmten Diplome und Auszeichnungen und in der dunkelsten Ecke diesen Mann, der in seinem schwarzen Sessel saß und ihn einfach ansah.

»Was –« Er schüttelte den Kopf und setzte noch einmal an: »Was machen Sie hier? Verschwinden Sie!«

»Ich wüsste nicht, wohin«, sagte der Mann. Dalesia. Im Fernsehen hatten sie den Namen gesagt: Dalesia.

»Hier können Sie nicht bleiben.«

»Reden wir doch darüber, Doktor«, sagte Dalesia. Er wirkte angespannt, aber souverän, ein rücksichtsloser, fähiger Mann. Er sagte: »Gehen Sie da rüber, setzen Sie sich an Ihren Schreibtisch und drehen Sie den Sessel so, dass Sie zu mir hersehen. Jetzt machen Sie schon.«

Der Arzt gehorchte, dann sagte er mit leiser, zitternder Stimme: »Niemand darf auch nur erfahren, dass ich Sie kenne.«

»Wenn ich hier weg muss, Doktor«, sagte Dalesia, »dann werde ich böse. Und zwar böse auf Sie. Und wenn mich in zwei Stunden oder zwei Tagen die Cops wieder kassieren, was meinen Sie, über wen ich dann auspacke?«

Dem Arzt war, als wären sämtliche Teile seines Körper mit unsichtbaren Gurten festgeschnallt. Er saß vorgebeugt, die Füße zusammen und die Fersen angehoben, die Knie aneinandergepresst, die Hände im Schoß gefaltet, als wollte er einen Baseball verstecken. Er sah Dalesia langsam blinzelnd an und und sagte: »Sie wollen über mich auspacken? Was könnten Sie schon über mich sagen? Ich habe nichts getan.«

»Sie haben Ihre Frau umgebracht.«

Dem Arzt fiel die Kinnlade herunter, und zunächst schnappte er nur nach Luft. Doch dann musste er diese Anschuldigung aus der Welt schaffen, so als sei sie nie erhoben worden: »Das ist ... Niemand hat dergleichen je behauptet.«

»Aber ich tu's.«

Der Arzt schüttelte den Kopf, er spürte noch immer diese unsichtbaren Fesseln. »Warum sollte man Ihnen glauben?«

»Es wurde doch keine Autopsie gemacht, oder?«

»Natürlich nicht. Wozu auch?«

»Ich werde ihnen die Begründung liefern.« Dalesia fühlte sich weit weniger unbehaglich als der Arzt. »Wenn ich hierbleibe, bis sich der Rummel gelegt hat«, sagte er, »hatte Ihre Frau einen Herzanfall. Gehe ich jetzt, haben Sie ihr eine Spritze verpasst.«

»Das wird man Ihnen nicht glauben«, beharrte der Arzt. »Wieso auch, ausgerechnet Ihnen?«

»Doktor«, sagte Dalesia, »wir hatten unsere erste Besprechung zu dem Raubüberfall in Ihrem Büro. Ihre Praxishelferinnen haben mich gesehen. Und Sie haben gesagt, das Geld von uns wär Ihre letzte Chance, Sie wären verzweifelt, Sie hätten ernste Probleme.« Er zuckte die Achseln. »Eheprobleme, nehm ich an.«

»Ich wollte mich abseilen.«

»Das hat sich ja nun erledigt.«

Den Arzt packte die Reue, Reue darüber, dass er sich jemals mit diesen Leuten eingelassen hatte, doch dann wich die Reue über das, was in der Vergangenheit passiert war, dem Entsetzen angesichts der gegenwärtigen Lage. Was tun? Den Mann zwingen, sein Haus zu verlassen? Ausgeschlossen, Dalesia hätte sich mit Sicherheit gerächt. Ihn dabehalten und eine Möglichkeit finden, *ihm* eine Spritze zu verpassen? Aber Dalesia war ein zäher, harter Bursche und würde ihm keine Gelegenheit dazu geben. Was konnte er also tun?

Dalesia sagte: »Unten neben der Küche ist ein kleines Schlafzimmer. Wem gehört das?«

»Was? Ach so, Estrella.«

»Wer ist das, Ihre Tochter?«

»Nein, das Dienstmädchen, sie ist unser Dienstmädchen.«

»Wo ist sie?«

»Bei ihrer Familie in New Jersey. Ich habe ihr eine Woche freigegeben.«

»Na, dann ist ja alles bestens«, sagte Dalesia. »Dann nehm ich das. Ich verschwinde, bevor diese Estrella wiederkommt, mit Ihrem Auto, und das war's dann.«

»Um Himmels willen, nein«, sagte der Arzt. »Mein Auto können Sie nicht nehmen!«

»Ich brauche ein Fahrzeug.«

»Aber mein Auto können Sie nicht nehmen.«

»Warum nicht? Sie melden es einfach als gestohlen.«

»Aber das würde doch nichts ändern«, sagte der Arzt. »Mir kann nichts passieren, weil mich niemand unter die Lupe nimmt, das haben Sie selbst gesagt. Ich hatte nur den einen Patienten, der mit Ihnen an diesem Raubüberfall beteiligt war, das ist alles. Aber wenn Sie denen von mir erzählen, nehmen sie mich unter die Lupe.« Dr. Madchen beugte sich mit ernster Miene vor. »Mr. Dalesia«, sagte er, »das Ganze ist für mich ein einziger Alptraum. Bleiben Sie von mir aus hier, aber wenn es soweit ist, stehlen Sie bitte ein anderes Auto.«

Dalesia nickte. »Ich könnte Sie auch einfach umbringen.«

»Ich weiß, dass Sie das könnten«, sagte der Arzt demütig.

Dalesia schüttelte den Kopf, als ärgere er sich über sich selbst. »Ich bin nicht verrückt«, sagte er. »Ich werde Ihnen nichts tun, es sei denn, ich habe keine andere Wahl.«

»Das weiß ich«, sagte der Arzt. »Sie können bleiben. Und Estrellas Zimmer benutzen. Aber bitte nehmen Sie nicht mein Auto.«

»Wir werden sehen«, sagte Dalesia.

Die nächste Woche war ein Martyrium. Dr. Madchen führte tagsüber sein normales Leben, hielt seine Sprechstunden in der Innenstadt von Rutherford ab und empfing seine Patienten, ohne indes nur einen Moment lang zu vergessen, dass zu Hause ein Dämon lauerte. Am liebsten wäre er die ganze Nacht in seiner Praxis geblieben, hätte auf einem Untersuchungstisch geschlafen und in der Imbissstube an der Ecke gegessen.

Doch er wagte nicht, irgend etwas zu tun, was nicht seinem normalen Tageslauf entsprach. Er stand morgens auf, frühstückte, Estrellas geschlossene Tür vor Augen, die von dem, was sich dahinter verbarg, förmlich zu glimmen schien, fuhr dann in die Praxis und kam abends so spät wie möglich nach Hause.

Zweimal ging er in dieser Woche mit Isabelle essen, aber die Last dieses neuen Geheimnisses war einfach zu erdrückkend. Er konnte ihr beim besten Willen nicht sagen, was geschehen war. Es blieb ihm nichts anderes übrig, als zu warten, bis der Alptraum vorbei war.

Wenigstens ließ ihn dieser Dalesia weitgehend in Ruhe. Estrella hatte einen eigenen Fernseher, und offenbar saß Dalesia die meiste Zeit vor dem Gerät. Den Geräuschen nach bevorzugte er die Nachrichtensender. Der Arzt brachte ihm Brot,

Aufschnitt und Dosensuppen mit, die Dalesia regelmäßig verzehrte, wenn auch nicht in seiner Gegenwart.

Die wenigen Male, die er Dalesia in dieser Woche sah, waren beunruhigend, weil schon bald klar wurde, dass dem Mann seine ausweglose Lage immer mehr zusetzte. Bis hierher hatte er es geschafft, hier war er fürs erste in Sicherheit, aber das konnte nicht von Dauer sein, und wohin sollte er dann? Er hatte einen US-Marshal erschossen, und jeder Polizist im Nordosten suchte nach ihm. Der Arzt begann zu befürchten, dass der Mann schließlich unter dem Druck durchdrehen und etwas Irrationales tun könnte, das sie beide vernichten würde.

Doch das trat nicht ein, und als Dr. Madchen am Freitag abend nach Hause kam und an Estrellas Tür klopfte, wirkte Dalesia eher abgezehrt als angespannt, so als schwänden unter der Belastung seine Kräfte. »Estrella kommt morgen zurück«, sagte der Arzt. »Ich hole sie um drei vom Busbahnhof ab. Sie sind fast eine Woche hier. Sie müssen jetzt wirklich gehen.«

»Ich weiß«, sagte Dalesia und drehte sich halb um, als wollte er auf den Fernseher schauen, der hinter ihm lief. »Die lassen nicht locker«, sagte er.

»Ich bin diese Woche dreimal an einer Straßensperre angehalten worden«, sagte der Arzt.

Dalesia fuhr sich müde mit der Hand übers Gesicht. »Ich muss hier weg.«

»Bitte nehmen Sie nicht mein Auto. Das würde Ihnen nichts nützen, und es kann nur –«

»Ich weiß, ich weiß.« Auch Dalesias Zorn war erlahmt. »Ich brauche ein Auto, aber ich kann natürlich nicht eins nehmen, nach dem sämtliche Bullen Ausschau halten.«

»Das stimmt.«

»Okay«, sagte Dalesia. »Morgen, bevor Sie diese Estrella ab-holen, müssen Sie mich wo hinfahren.«

»Wohin?«

»Das zeige ich Ihnen morgen«, sagte Dalesia, ging wieder in Estrellas Zimmer und schloss die Tür.

ZWEI

Captain Robert Modale von der New Yorker Staatspolizei war ein geduldiger Mensch und die Ruhe in Person, aber er sah es sofort, wenn ein Auftrag, den man ihm aufs Auge drückte, nichts als eine gigantische Zeitverschwendung war, und was man ihm jetzt zumutete, war wirklich ein Hammer. Die Irritation – und dass er irritiert war, musste Captain Modale sich eingestehen – hatte den Effekt, ihn noch ruhiger und beherrschter zu machen. Das Resultat war, dass er auf dem Beifahrersitz eines zivilen Einsatzfahrzeugs, mit Trooper Oskott am Steuer, durch den halben Staat New York und wahrscheinlich ein Drittel von Massachusetts gefahren war und die ganze Zeit kaum ein Wort gesagt hatte.

Trooper Oskott, der sich in Zivil statt in seiner gewohnten schmucken grauen Maßuniform sichtlich unbehaglich fühlte, hatte ein paarmal versucht, ein Gespräch anzufangen, aber die Reaktionen waren so karg gewesen, dass er es bald aufgegeben hatte und die Schnellstraßen nur lautlos an den Fenstern des Wagens vorbeizogen, während Captain Modale über die gigantische Zeitverschwendung nachdachte, mit der er es zu tun hatte.

Noch dazu würde diese Zeitverschwendung zwei Tage umfassen. Der Captain musste die vielen hundert Kilometer am Freitag zurücklegen, würde aber so spät in Rutherford ankommen, dass er sich erst am Samstag morgen mit seinen Kollegen in Massachusetts besprechen konnte. Es war geplant, dass er und Trooper Oskott die Nacht irgendwo in einem Motel verbringen würden.

Anfangs hatte es allerdings so ausgesehen, als würden sie gar kein Quartier finden, weil drüben in Neuengland Herbstlaub-Hochsaison war und die meisten Unterkünfte jedweder Art ausgebucht waren. Captain Modale hatte darauf spekuliert, dass die gigantische Zeitverschwendung wegen Quartiermangels abgeblasen werden würde, doch dann war in einer Frühstückspension mit dem abstoßenden Namen Bosky Rounds jemand vorzeitig abgereist, und die Dienstreise fand doch statt.

Das Bosky Rounds war nicht so abstoßend wie sein Name, wenn auch bei weitem nicht nach dem Geschmack des Captains. Immerhin sorgte die Besitzerin, Mrs. Bartlett, für eine reinliche, gemütliche Atmosphäre, empfahl dem Captain und dem Trooper am Freitag abend ein vorzügliches neuenglisches Fischrestaurant und tischte am Samstag morgen ein derart reichhaltiges Frühstück auf, dass der Captain weit über seine normalen Verhältnisse hinaus zulangte und sich vornahm, seiner Frau nichts von dem Frühstück zu erzählen.

Mrs. Bartlett hatte in einer Schublade ihres mustergültig aufgeräumten Büros anscheinend einen unbegrenzten Vorrat an Landkarten der Umgebung und markierte auf einer davon mit einer feinen roten Linie die Route von ihrem Standort zur provisorischen gemeinsamen Einsatzzentrale im Gebäude der Combined Bank in Rutherford, der rechtmäßigen Besitzerin des Geldes, das letzte Woche geraubt worden war.

Als sie die Pension verließen, ging ein weiblicher Gast vor ihnen her, eine schrill wirkende Blondine in Schwarz, die in einen mit Antennen geschmückten schwarzen Honda Accord stieg. Ein einziger rascher Blick auf ihr Profil genügte, und der Captain fragte sich: Habe ich die nicht schon mal gesehen? Vielleicht gestern abend hier drin oder in dem Restaurant. Aber vielleicht ist sie auch nur eine dieser latent aggressiven Blondinen, die so attraktiv sind, dass sie einem auffallen, die aber auch ein kleines Warnsignal vor sich hertragen.

Wie auch immer, um sie brauchte sich der Captain nicht zu kümmern. Er stieg in den Wagen, und Trooper Oskott fuhr ihn zu der Besprechung in Rutherford.

Was sonst das Büro eines Kreditberaters war, ein ziemlich großer Raum mit Möbeln, Wänden und einem Teppich in neutralem Grau, war zur Einsatzzentrale umfunktioniert worden, vollgestellt mit elektronischen Geräten, zusätzlichen Tischen und Stühlen und Staffeleien, auf denen Fotos, Organisationsdiagramme, Fortschrittsberichte und besonders ärgerliche Presseartikel standen.

Trooper Oskott durfte wegtreten und machte es sich im Schalterraum gemütlich, der noch immer geschlossen war, weil seit dem Raubüberfall sämtliche notwendigen Bankgeschäfte in einer anderen, rund dreißig Kilometer entfernten Filiale abgewickelt wurden. Captain Modale seinerseits ging in den großen Raum, wo ihn mehrere seiner Kollegen von den anderen Dienststellen begrüßten, die sich eigens für die Besprechung mit ihm zu dieser Stunde hier eingefunden hatten.

An ihren ernsten Gesichtern und ihrem kräftigen Händedruck erkannte Modale, dass diese Leute noch frustrierter waren als er selbst, und er beschloss, seine schlechte Laune wegen der Zeitverschwendung aufzugeben, denn es war nicht zu übersehen, dass diese Männer und Frauen sich an Strohhalme klammerten.

Drei Fremde waren in ihr Revier eingedrungen, ausgerüstet mit Panzerabwehrwaffen, die gar nicht in die Vereinigten Staaten importiert werden durften, und hatten sich praktisch mit dem gesamten Bargeldbestand einer Bank abgesetzt. Am Tag darauf war es der Polizei gelungen, einen der Kriminellen dingfest zu machen, doch schon einen Tag später war er ihnen wieder entkommen und hatte obendrein noch einen der ihren umgebracht. Inzwischen war fast eine Woche vergangen, es hatte keinerlei Fortschritte gegeben, keinen Durchbruch, und von den drei Männern fehlte nach wie vor jede Spur.

Eine der höheren Chargen, die ihn hier begrüßten, ein Chief Inspector Davies, sagte: »Ich will Ihnen reinen Wein einschenken, Captain: Das wirft ein schlechtes Licht auf jeden von uns.«

»Das sehe ich nicht so, Inspector.«

»Es stimmt aber«, beharrte Davies. »Der eine, den wir festgenommen und bedauerlicherweise wieder verloren haben –«

»*Wir* haben ihn verloren«, sagte der schmallippige FBI-Agent Ramey, dem der Captain bereits vorgestellt worden war. »Wir werden daraufhin einige unserer Vorgehensweisen ändern.«

»Der springende Punkt ist«, fuhr Davies fort, »wir wissen, wer er ist. Nicholas Leonard Dalesia. Er stammt nicht aus dem Nordosten. Er hatte keine Freunde hier, keine Geschäftspartner, keine Verbindungen. Er hat kein Auto gestohlen. Er ist seit fast einer Woche auf freiem Fuß, trotz der größten Menschenjagd, die wir auf die Beine stellen können. Er ist und bleibt verschwunden.«

»Er ist abgetaucht«, sagte der Captain.

»Einverstanden. Aber wie? Hier macht sich das Gefühl

breit«, sagte der Inspector, »dass die anderen beiden bei ihm sind.«

»Da kann ich Ihnen nicht folgen«, sagte der Captain.

»Wir wissen, dass sie das Geld zurücklassen, es irgendwo verstecken mussten«, sagte der Inspector. »Sind sie jetzt dort, wo das Geld ist? Einer von ihnen, der, dem Sie begegnet sind, ist in den Staat New York rübergewechselt und hat dort fast sofort einen neuen Raub begangen. Warum hat er das gemacht – zur Überbrückung, solange die Bande sich versteckt halten muss?«

»Wollen Sie damit sagen«, fragte der Captain, »der eine, der bei uns war, ist Ihnen durch die Maschen geschlüpft, hat diesen zweiten Raub verübt und ist dann sofort wieder ins Fahndungsgebiet zurückgekehrt?«

»Sie halten das nicht für möglich«, sagte Inspector Davies.

»Ich weiß nur, dass *ich* es nicht so machen würde«, sagte der Captain. »Wenn ich irgendwelches andere Geld in die Finger bekäme, würde ich damit schleunigst das Weite suchen.«

»Aber wo ist dann Nicholas Leonard Dalesia? Es ist doch einfach nicht – Ah, Gwen, da sind Sie ja. Kommen Sie hier herüber.«

Eine ausgesprochen attraktive junge Frau in Gelb- und Rosttönen hatte soeben den Raum betreten, und bevor der Captain seine Verblüffung zeigen konnte – wie kam eine solche Frau hierher? –, rettete ihn Inspector Davies, ohne es selbst mitzukriegen, indem er sagte: »Detective Second Grade Gwen Reversa, das ist Captain Robert Modale von der New York State Police. Sie beide sind die Polizeibeamten, die diesen zweiten Mann tatsächlich gesehen und mit ihm gesprochen haben.«

Nach der Begrüßung und dem Händeschütteln sagte Detective Reversa: »Bei mir war er John B. Allen.«

»In meinem Bezirk hat er sich Ed Smith genannt.«

Sie lächelte. »Für extravagante Namen hat er wohl nichts übrig.«

»Er hat überhaupt nichts Extravagantes an sich.«

»Sagen Sie«, sagte Detective Reversa, »wie finden Sie die Phantomzeichnung?«

»Die von Mr. Smith?« Der Captain schüttelte den Kopf. »Sie führt in die falsche Richtung«, sagte er. »Wenn man weiß, dass sie ihn darstellen soll, erkennt man die Ähnlichkeiten. Aber ich habe mich mit dem Mann unterhalten, *nachdem* ich diese Plakate gesehen hatte, und mir ist nichts aufgefallen.«

Inspector Davies sagte: »Da Sie schon mal hier sind, Captain, möchte ich, dass Sie und Gwen sich mit unserer Zeichnerin zusammensetzen und schauen, wie man die Zeichnung verbessern kann.«

»Weil Sie glauben, dass er zurückgekommen ist.«

»Im Gegensatz zu Ihnen«, sagte Reversa.

»Ich glaube«, sagte der Captain vorsichtig, um niemanden vor den Kopf zu stoßen, »dass der dritte Mann durchaus noch hier sein kann und Dalesia hilft, sich zu verstecken. Aber der Typ, mit dem ich geredet habe? Was meinen Sie?«

»Er ist vorsichtig«, sagte sie, »und will nicht auffallen. Keine extravaganten Namen. Ich glaube, er verhält sich wie eine Katze und wagt sich nirgendwohin, wo er sich nicht sicher fühlen kann.«

»Sie beide könnten also die Zeichnung verbessern helfen«, sagte Inspector Davies.

Der Captain deutete mit einer Verbeugung sein Einverständnis an. »Wenn ich irgendwie kann, gern.«

Die Zeichnerin war eine kleine, reizbare Person, die in Kohle arbeitete, mit der sie sich vor allem selbst vollschmierte. »Ich glaube«, sagte Gwen Reversa zu ihr, »der Hauptfehler an dem Bild ist, dass es ihn bedrohlich wirken lässt.«

»Das stimmt«, sagte Captain Modale.

Die Zeichnerin sah das Phantombild, das nicht von ihr stammte, stirnrunzelnd an. »Ja, es wirkt bedrohlich«, räumte sie ein. »Aber wie sollte der Mann statt dessen wirken?«

»Wachsam«, sagte Gwen Reversa.

»*Dieser* Mann«, sagte der Captain und zeigte auf das Bild, »ist aggressiv, er ist drauf und dran, irgend etwas zu tun. Der *echte* Mann bewegt sich nicht als erster. Er beobachtet Sie, wartet ab, was *Sie* tun werden.«

»Andererseits«, sagte Gwen Reversa, »habe ich den Verdacht, dass er sehr schnell ist.«

»Unbedingt.«

Die Zeichnerin schürzte die Lippen. »Das alles werde ich nicht in dem Bild unterbringen. Das könnte man nicht einmal von einem Foto erwarten. Stimmen die Augen?«

»Vielleicht nicht so klar umrissen«, sagte Gwen Reversa.

»Er starrt nicht«, sagte der Captain. »Er schaut nur.«

Die Zeichnerin seufzte. »Also gut«, sagte sie und öffnete ihren großen Skizzenblock, der in diesem kleinen Büro neben dem Hauptraum auf dem Schreibtisch des Bankbeamten lag. »Fangen wir an.«

Die drei hatten seit über einer Stunde zusammengearbeitet, als Inspector Davies in der Tür erschien und sagte: »Könnten Sie beide mal kommen? Ich möchte Ihre Meinung hören.«

In dem großen Raum gab es einen Neuzugang: einen lebhaften, eifrigen jungen Mann mit windzerzausten Haaren und einer Brille mit großen, schwarzgerahmten Gläsern, die an eine Waschbärenmaske erinnerte. Er wirkte auf den ersten Blick wie ein Zeitschriftenwerber.

Der Inspector stellte vor: »Captain Modale, Detective Reversa, das ist Terry Mulcany, er schreibt Bücher.«

»Hauptsächlich über echte Kriminalfälle«, sagte Mulcany. Er wirkte nervös, aber zugleich selbstbewusst.

»Da sind Sie sicher gut beschäftigt«, bemerkte der Captain.

Mulcany lächelte glücklich. »Ja, Sir, das bin ich.«

»Mr. Mulcany meint, er könnte Ihren Mann gesehen haben«, erklärte der Inspector.

Überrascht und skeptisch sagte der Captain: »Hier in der Nähe?«

»Ja, Sir«, sagte Mulcany. »Wenn er es war.«

»Warum meinen Sie, er könnte es gewesen sein?« wollte der Captain wissen.

»Ich bin mir einfach nicht sicher, Sir.« Mulcany zuckte ratlos die Achseln. »Ich hab die letzte Woche in dieser Gegend mit so vielen Menschen gesprochen, und wenn ich nicht immer gleich Notizen oder eine Bandaufnahme mache, bringe ich alles durcheinander.«

»Aber Sie glauben, Sie haben einen der Räuber gesehen?« fragte Gwen Reversa.

»Mit einer Frau, ja. Gestern oder vorgestern, genau kann ich es wirklich nicht sagen.« Er schüttelte den Kopf. »Zunächst ist es mir nicht aufgefallen, das ist das Problem. Aber heute morgen hab ich mir wieder diese Fahndungsplakate angesehen, einfach, um mir die Gesichter noch einmal einzuprägen, und dachte, Moment mal, den Typ hast du gesehen, mit dem hast du geredet. Er hat … irgendwo im Freien gestanden, mit einer Frau, einer gutaussehenden Frau. Ich hatte nur eine

Minute mit ihnen geredet, um mich vorzustellen, wie ich es schon die ganze Woche mache.«

»Und er hat dem Plakat ähnlich gesehen?« fragte der Inspector.

»Nicht direkt«, sagte Mulcany. »Er hätte es sein können, vielleicht aber auch nicht. Aber die Ähnlichkeit war immerhin so stark, dass ich mir dachte, ich sollte es melden.«

»Mr. Mulcany«, sagte Gwen, »kommen Sie bitte mal hier rüber?«

Neugierig folgten ihr Mulcany und die anderen in das kleine Büro, in dem die Zeichnerin noch an dem neuen Phantombild arbeitete. Gwen stellte sich auf die eine Seite und machte eine Handbewegung zu dem Bild hin. Die Zeichnerin blickte auf, sah die gespannten Gesichter und machte Platz.

Mulcany trat an den Schreibtisch, schaute auf die Zeichnung hinab und sagte: »Oh!«

»Oh?« sagte Gwen.

»Das ist er!« Glückstrahlend sah Mulcany in die Runde. »Genauso sieht er aus!«

DREI

Nelson McWhitney hing so sehr an seiner Bar, dass er sich, hätte der Scheißladen auch nur ein bisschen was abgeworfen, vielleicht nur noch darum gekümmert und sich von seinen Aktivitäten in diesem anderen Leben zurückgezogen hätte. Seine Gäste in der Bar waren gesetzter, weniger sprunghaft als die Menschen, mit denen er in der anderen Sphäre zusammenarbeitete. Seine Wohnung hinter der Bar war klein, aber komfortabel, und sie lag in einem sicheren Viertel – hier wohnten Arbeiter, also Menschen, die nicht viel besaßen, aber aufeinander aufpassten. Ernstlich zu Schaden kommen konnte man hier praktisch nur, wenn man in der Lotterie gewann, was gelegentlich irgendeinem armen Teufel zustieß, der dann im allgemeinen nach einem Jahr entweder tot oder im Knast, in der Reha oder im Exil war. McWhitney spielte nicht Lotterie.

Wohl aber spielte er ab und zu ein noch gefährlicheres Spiel, und gerade jetzt war wieder eine Runde fällig. Als er am Samstag morgen aufstand, hatte er zwei Verabredungen vor sich, die beide mit diesem Spiel zusammenhingen. Zu der zweiten, an diesem Vormittag um elf, musste er drei Blocks zu Fuß gehen, um den Transporter abzuholen, den er tags zuvor gekauft hatte und der bis dahin den Schriftzug Chor der Erlöserkirche auf den Türen tragen und damit bereit zur Abreise nach Norden sein würde. Und die erste, um zehn Uhr, war ein

Treffen mit einem, den er aus dieser anderen Welt kannte, einem Mann namens Oscar Sidd.

Wegen der Besprechung mit Oscar Sidd trank McWhitney nur ein Bier zu den Eiern mit Bratkartoffeln, die er sich in seiner kleinen Küche im rückwärtigen Teil der Wohnung machte, bevor er nach vorn in die Bar ging, wo er zum Tagesbeginn ein paar kleine Scheine in die Kasse legte.

Er hatte die *Daily News* abonniert, sie wurden jeden Morgen durch den großen Briefschlitz in der Vordertür des Lokals geworfen, und so setzte er sich an den Tresen und las, während er sein Frühstück verdaute. Ein paar knifflige Momente standen ihm bevor, aber er blieb trotzdem gelassen.

Oscar Sidd war ein nüchterner Mann; pünktlich um zehn klopfte er zweimal laut an das Fenster in der Vordertür, um keine Energie zu verschwenden. Das dunkelgrüne Rollo vor dem Fenster war heruntergezogen, aber es konnte nur Oscar sein.

Er war es. Ein knochiger Mann, um die eins neunzig groß, dessen enge Sachen meist eine Idee zu kurz für ihn waren. Er kam herein. Sein schwarzer Mantel hörte über den Knien auf, und die Ärmel hörten über den Ärmeln seines dunkelbraunen Sportsakkos auf, die wiederum oberhalb seiner knochigen Handgelenke aufhörten, und auch die schwarzen Hosenbeine hörten so weit oberhalb der schwarzen Schuhe auf, dass man seine dunkelblauen Socken sah.

»Guten Morgen, Nels«, sagte er und trat zur Seite, damit McWhitney die Tür schließen konnte.

»Alles in Ordnung, Oscar?«

»Mir geht's gut, danke.«

»Magst du ein Bier?«

»Eher nicht«, sagte Oscar. »Aber nur zu, ich trinke zur Gesellschaft ein Selters mit.«

»Und ich trink mit dir eins mit«, sagte McWhitney mit einer Handbewegung zur nächsten Nische. »Nimm Platz, ich hol sie.« Seine Privaträume hinten brauchte Oscar Sidd nicht zu sehen.

Oscar setzte sich in die Nische, mit Blick zur Eingangstür, und knöpfte seinen Mantel auf, während McWhitney hinter den Tresen ging, zwei Gläser mit Selterswasser und Eis füllte und auf ein Tablett stellte. Er ging wieder um den Tresen herum, trug das Tablett an den Tisch, stellte die Gläser hin, legte das Tablett auf den Tresen zurück, setzte sich Oscar gegenüber und fragte: »Na, wie läuft's?«

»Kälter geworden«, sagte Oscar. Er rührte sein Glas nicht an, sondern schaute McWhitney ernst in die Augen.

»Du hältst dich doch auf dem laufenden, Oscar?« fragte McWhitney.

»Wenn's was Interessantes gibt.«

»Der große Bankraub letzte Woche in Massachusetts.«

»Der Geldtransport, meinst du.«

McWhitney grinste. »Stimmt, meine ich. Den hast du also mitgekriegt.«

»Der war ja interessant«, sagte Oscar. »Einen von denen haben sie geschnappt, glaub ich.«

»Und dann wieder verloren.«

Oscars Lächeln war dünn. »Gutes Personal ist rar«, sagte er.

»Weißt du auch, wie sie ihm auf die Spur gekommen sind?« fragte McWhitney.

»Das Geld von der Bank ist heiß, glaub ich«, sagte Oscar. »Seriennummern notiert. Unbrauchbar.«

»Jedenfalls im Inland«, stimmte McWhitney zu.

Oscar sah ihn scharf an. »Langsam wird mir klar, warum wir miteinander reden.«

McWhitney hatte darauf nichts zu sagen und trank einen Schluck Selters.

»Du willst damit sagen, dass du eventuell Zugriff auf das heiße Geld hast«, sagte Oscar.

»Und ich weiß«, sagte McWhitney, »dass du manchmal Geldgeschäfte mit Übersee abwickelst.«

»Geld für Waffen«, sagte Oscar und zuckte die Achseln. »Ich bin ... Juniorpartner in einer Firma, die mit Waffen handelt.«

»Was mich interessiert«, sagte McWhitney, »ist Geld für Geld. Wenn ich das heiße Geld außer Landes bringe, wieviel Prozent würde ich dann dafür kriegen?«

»Ach, nicht viel«, sagte Oscar. »Ich weiß nicht, ob das überhaupt die Mühe lohnt.«

»Schön, aber was schätzt du, wieviel Prozent? Zehn?«

»Das bezweifle ich.« Oscar zuckte die Schultern. »Der Profit geht größtenteils für Trinkgelder drauf«, sagte er. »Für Einfuhrbeamte, Angestellte von Schiffahrtslinien, Arbeiter in Lagerhäusern. Wenn du anfängst, mit diesen Leuten zu spielen, halten viele die Hand auf.«

»Es ist aber ein riesiger Haufen Geld, Oscar«, sagte McWhitney.

»Der würde schnell schrumpfen.« Oscar zuckte die Achseln. »Aber da es schon mal da ist«, fuhr er fort, »und da du die Hand drauf legen kannst und da wir alte Freunde sind« – was genaugenommen nicht stimmte –, »könnten wir vielleicht doch was hinkriegen.«

»Freut mich zu hören.«

Oscar schaute sich in der dunkelgetäfelten Bar um. »Hast du das Geld schon hier?«

»Nein, aber ich bin dabei, es zu holen.«

»Die Polizei«, sagte Oscar, »hat laut Fernsehnachrichten die

Theorie, dass die Diebe ihre Beute irgendwo nicht weit vom Ort des Überfalls versteckt haben.«

»Mit der Theorie«, sagte McWhitney, »liegt die Polizei gewissermaßen goldrichtig.«

»Aber du bist überzeugt«, sagte Oscar, »du kannst jetzt da hinfahren, das Geld rausholen und es sicher hierherschaffen?«

»So stell ich's mir vor«, sagte McWhitney.

»Und das Projekt wickelst du allein ab?«

»Tja«, sagte McWhitney, »das ist die Komplikation. Es sind andere mit von der Partie.«

»Andere«, stimmte Oscar zu, »neigen in der Tat dazu, Komplikationen zu machen. Wenn ich dir einen guten Rat geben darf, Nels ...«

»Sprich.«

»Lass das Geld, wo es ist«, sagte Oscar. »Das bisschen Gewinn, das du mit einer Offshore-Transaktion machen würdest, wird vollends lächerlich, wenn du mit anderen teilen musst.«

»Vielleicht muss ich ja nicht teilen«, sagte McWhitney.

Oscars schmales Gesicht wirkte zugleich belustigt und missbilligend. »Ach, Nels«, sagte er. »Rechnest du damit, dass deine Partner ähnlich denken?«

McWhitney schüttelte den Kopf und starrte für einen kurzen angespannten Moment auf die verkratzte hölzerne Tischplatte. »Ich glaube nicht«, sagte er zögernd. »Aber möglich wär's. Ich weiß nicht.«

»Eine gefährliche Arena, die du da betreten willst.«

»Das weiß ich selbst.« McWhitney warf Oscar einen leidenschaftlichen Blick zu. »Ich rede nicht davon, irgendwen *umzubringen*, Oscar. Und auch nicht davon, jemand aufs Kreuz zu legen.«

»Nein.«

»Du sagst es: Eine gefährliche Arena. Wenn ich mich verteidigen muss, werde ich es tun.«

»Natürlich.«

»Wir sind zu dritt.«

»Aha.«

»Vielleicht kommen wir alle drei mit dem Geld aus der Sache raus, vielleicht auch nur einer, vielleicht gar keiner.«

»Du willst unbedingt rauskriegen, welcher.«

»Ja, allerdings«, sagte McWhitney. »Genau wie die anderen. Wenn am Schluss – Wenn ich am Schluss raus bin, und ich hab das Geld und ich bin der einzige, dann wär mir sehr wohl bei dem Gedanken, dass du für den Exportteil zur Verfügung stehst.«

»Du sagst den anderen nichts von mir?«

»Nein.«

Oscar dachte nach. »Na ja, möglich ist es«, sagte er. »Aber eine Bedingung stelle ich.«

»Ja?«

»Wenn dir deine Expartner auf den Fersen sind«, sagte Oscar, »dann kenne ich dich nicht und hab dich nie gekannt.«

»Auf eins kannst du dich hundertprozentig verlassen«, versprach McWhitney. »Mir wird keiner meiner Expartner auf den Fersen sein.«

VIER

Terry Mulcany konnte sein Glück nicht fassen. Er war einfach nur zur rechten Zeit am rechten Ort gewesen, und jetzt! Plötzlich war er mittendrin in der Verbrecherjagd, auf du und du mit den wichtigsten Jägern. Na ja, auf du und du nicht gerade, aber immerhin.

Mulcany wusste, dass er nicht hierhergehörte. Auf dem Level war er noch nicht. Als junger Freelancer aus Concord, New Hampshire, hatte er erst zwei Taschenbücher über echte Verbrechen vorzuweisen, die beide in ganz kleinen Verlagen erschienen waren und, ehrlich gesagt, von ganz kleinen Verbrechen handelten. Ein paar Texte, die er bei Zeitschriften untergebracht hatte, eine Schublade voller Absagen – das war seine bisherige Karriere.

Doch damit war jetzt Schluss. Ab sofort wurde alles anders, es lag in der Luft, er spürte es förmlich. Er war jetzt ein Insider, und er würde es auch bleiben.

Wenn ihm nur eingefallen wäre, wo genau er diesem Räuber und seiner Gangsterbraut begegnet war. Vor irgendeiner Frühstückspension hier in der Gegend, an mehr erinnerte er sich nicht. Eine Veranda mit weißgestrichenem Geländer, ringsherum Grünzeug; verdammt, das galt für jedes zweite Haus in dem County.

Aber selbst wenn es ihm nie mehr einfiel, wo er und der Räuber miteinander geredet hatten – das wenige, was er noch wusste, reichte vollkommen. Er war gerade rechtzeitig in der provisorischen Einsatzzentrale aufgekreuzt, um eine Meinungsverschiedenheit zwischen zwei der höheren Chargen zu beenden, und weil seine Aussage den Oberboss in seiner Ansicht bestätigt hatte, war er jetzt mit im Boot.

Dieser, der Platzhirsch, Chief Inspector William Davies, glaubte anscheinend, dass einer der Männer, nach denen gefahndet wurde, das Gebiet verlassen und im Staat New York einen weiteren Raubüberfall verübt hatte und dann mit dem Geld zurückgekommen war, um die Bande zu finanzieren, solange sie sich versteckt halten musste. Das andere hohe Tier, Captain Robert Modale aus dem Staat New York, hatte dagegen die Ansicht vertreten, wenn der Räuber sich einmal erfolgreich abgesetzt hatte, würde er es niemals riskieren, wieder zurückzukommen. Dadurch, dass er den Mann zweifelsfrei identifizieren konnte, hatte Mulcany bewiesen, dass der Chief Inspector recht gehabt hatte.

Zum Glück war Captain Modale deswegen nicht sauer, sondern fand sich einfach mit der neuen Sachlage ab. Und akzeptierte damit auch Terry Mulcany. Genau wie alle anderen.

Die Zeichnerin war jetzt gegangen, um viele Kopien von dem neuen Fahndungsplakat anzufertigen, und die anderen hatten sich in das kleine Büro zurückgezogen. Chief Inspector Davies saß an dem Schreibtisch, an dem die Zeichnerin gearbeitet hatte, Captain Modale und Detective Gwen Reversa – das wäre ein Bild für den Buchumschlag! – nahmen sich Stühle und setzten sich ihm gegenüber, und Terry Mulcany lehnte sich, ohne dass irgend jemand Einwände erhob, in die Ecke zwischen der Wand und dem Registraturschrank. Der unauffällige Beobachter.

Anfangs diskutierten die drei Cops darüber, was die Rückkehr des Räubers zu bedeuten hatte, welche Rolle die Frau spielte, die bei ihm gewesen war, und ob es denkbar war, dass der Mann tatsächlich die Dreistigkeit besaß, sich in einer Pension so nahe am Tatort einzumieten.

Vor allem aber rückte durch das Auftauchen des Räubers die Frage nach dem Geldversteck in den Mittelpunkt. »Wir hätten das wahrscheinlich schon früher tun müssen«, sagte Inspector Davies, »aber jetzt machen wir es ganz bestimmt. Wir mobilisieren jede Polizeitruppe in diesem Gebiet und durchsuchen jedes leerstehende Haus, jede leere Scheune, alle leeren Garagen, Schuppen und Hühnerställe im Umkreis von hundertfünfzig Kilometern. Wir finden das Geld.«

»Und mit etwas Glück«, sagte Captain Modale, »auch die Diebe.«

»Das walte Hugo.«

»Inspector«, meldete sich Mulcany aus seiner Ecke, »entschuldigen Sie, das soll keine Kritik sein, aber warum wurde nicht schon längst nach der Beute gesucht?« Er stellte die Frage ehrerbietig und scheinbar selbstbewusst, doch innerlich zitterte er, aus Angst, sein Vorwitz könnte die anderen daran erinnern, dass er eigentlich nicht hierhergehörte, und sie würden sich wie ein Mann (und eine Frau) erheben und ihn in die Dunkelheit hinausjagen.

Aber nichts dergleichen. Wie auf eine legitime Frage von einem legitimen Fragesteller antwortete der Inspector: »Wir haben uns auf die Männer konzentriert. Wir gingen von der Annahme aus, wenn wir die Männer fänden, würden sie uns zu dem Geld führen. Jetzt ist uns klar, dass uns das Geld zu den Männern führen wird.«

»Danke, Sir.«

Detective Reversa sagte: »Captain, können Sie mir sagen,

was sich da letztes Wochenende drüben bei Ihnen abgespielt hat? Hatte er Komplizen?«

Captain Modale holte tief Luft – ein schwergeprüfter Mann, der dennoch nicht klein beigab. »Es sieht tatsächlich so aus«, sagte er, »als hätte der Bursche das Ding ohne irgendwelche besonderen Vorbereitungen durchgezogen. Falls schon früher irgendeine Verbindung zu Tom Lindahl bestand, haben wir jedenfalls nichts darüber gefunden. Natürlich ist auch Tom Lindahl nicht aufzufinden, und leider kennt er als einziger die meisten Antworten, die wir brauchen.«

»Tom Lindahl?« fragte Detective Reversa. »Wer ist das?«

»Ein Sonderling«, sagte Modale, »fast ein Einsiedler, der dort drüben ganz allein in einem kleinen Ort lebt. Er war jahrelang Technischer Direktor auf einer Rennbahn dort in der Nähe, zuständig für Wartung, Reparaturen an den Gebäuden und so. Ist aus irgendeinem Grund entlassen worden und fühlte sich ungerecht behandelt. Als dieser Ed Smith daherkam, hat Tom wohl seine Chance gewittert, sich endlich zu rächen. Die beiden haben die Rennbahn ausgeraubt.«

»Aber sie sind nicht mehr zusammen?« fragte Detective Reversa. »Sie glauben nicht, dass Lindahl auch hier ist?«

»Um ehrlich zu sein«, sagte Modale, »ich war überzeugt, wir würden Lindahl innerhalb von zwei, drei Tagen schnappen. Er hat keine Vorstrafen, keinerlei Erfahrung auf dem Gebiet, müsste also eigentlich einen Fehler nach dem anderen machen.«

»Vielleicht hat unser Räuber ihm ein paar gute Tips gegeben, wie er sich verstecken kann«, meinte Gwen Reversa. »Außer natürlich, er hat Lindahl umgebracht, als die Sache gelaufen war.«

»Danach sieht es nicht aus«, sagte Modale. »Sie sind letzten

Sonntag abend rein, haben die Wachen überwältigt und sind mit annähernd zweihunderttausend Dollar in bar entkommen. Alles unmarkierte Scheine, leider Gottes.«

»Hunderttausend Dollar wären für den Profi durchaus ein Motiv, diesen Lindahl umzulegen«, sagte Inspector Davies.

»Schon«, sagte Modale, »nur dass sein Wagen am Dienstag abend in Lexington, Kentucky, gefunden wurde, zwei Blocks vom Busbahnhof entfernt. Leute, die mit dem Bus fahren, zahlen eher bar als mit Kreditkarte, fallen also weniger auf. Wenn er mit dem Bus unterwegs ist, in Großstädten in billigen Hotels übernachtet und alles bar bezahlt, kann er sich recht gut unsichtbar machen.«

»Wie lange kann er so weitermachen?« fragte Detective Reversa.

»Ich würde sagen«, sagte Modale, »er ist schon dort, wo er hinwollte. Irgendwo von Texas bis Oregon. Wenn er sich sesshaft macht, einen Job annimmt, sich was Kleines mietet und da wohnen bleibt, kann er sich mit der Zeit eine neue Identität aufbauen, mit der er leben kann. Solange er nie wieder ein Verbrechen begeht oder anderweitig auffällt, wüsste ich nicht, warum er nicht völlig unbehelligt bis an sein Ende dort leben sollte.«

»Mit hunderttausend Dollar in bar«, sagte Inspector Davies angewidert. »Nicht schlecht.«

Ach, dachte Terry Mulcany, wenn *das* doch meine Story wäre. Tom Lindahl und das perfekte Verbrechen. Aber wo ist er? Wo sind die Interviews? Wo sind die Fotos von ihm in seinem neuen Leben? Wo bleibt der letztendliche Sieg der Gerechtigkeit?

Nein, Tom Lindahl war auch vor Terry Mulcany sicher. Er musste sich mit dem echten Verbrechen begnügen, das er hatte, dem Überfall auf den Geldtransport, mit Bazookas und unbrauchbarem Geld und drei professionellen Desperados, einer davon ein flüchtiger Polizistenmörder. Eigentlich gar nicht so schlecht.

Arbeitstitel: DIE LANDPIRATEN.

FÜNF

Oscars Sidds Wagen war so unauffällig, dass man ihn schon vergaß, während man ihn noch ansah. Die kleine viertürige Limousine hatte die Farbe der Flüssigkeit in einem Glas entsteinter schwarzer Oliven: dunkel, aber dünn, bräunlich, aber fad.

In diesem Auto saß Oscar nach seiner Besprechung mit Nelson McWhitney, einen Block vom McW entfernt. Irgendwann im Lauf des Tages würde der Mann zu seiner Fahrt nach Massachusetts aufbrechen, um das Geld zu holen. Oscar würde ihm in seinem unsichtbaren Auto folgen, und McWhitney würde nichts davon bemerken. Neben der Bar würde McWhitneys roter Pick-up hervorkommen, und Oscar würde sich gleich hinter ihm in den Verkehr einfädeln.

Nur dass es nicht der Pick-up war, der dann auftauchte, sondern McWhitney selbst, und er kam aus der Vordertür der Bar. Er blieb in der offenen Tür stehen, um seinem Barkeeper noch eine letzte Anweisung zuzurufen, und machte sich zu Fuß auf den Weg, den Bürgersteig entlang, weg von Oscar Sidd.

Das war in Ordnung. Oscar konnte ihm trotzdem folgen. Er legte in seinem leicht zu übersehenden Wagen den Gang ein, wartete, bis McWhitney sich einen ganzen Block entfernt hatte, und fuhr dann langsam an.

McWhitney ging drei Blocks weit, die Hände in den

Taschen, die Schultern gestrafft, als wollte er kundtun, dass sich ihm nichts und niemand in den Weg stellen solle. Dann nahm er die Hände aus den Taschen, bog nach rechts ab und ging über die Fahrbahn zu einer Tankstelle an der Ecke, zu der auch eine Werkstatt für Karosseriereparatur und Fahrzeugpflege gehörte. Er ging dort ins Büro, und Oscar hielt deshalb an einer Zapfsäule und tankte mit einer Kreditkarte. Er nahm an, dass er heute noch eine lange Fahrt vor sich hatte.

McWhitney war noch im Büro. Wenn er herauskam, würde er sich bestimmt in eines der Fahrzeuge setzen, die um das Gebäude herum abgestellt waren; doch wohin würde er dann fahren?

Der Belt Parkway lag ein Stück weiter in dieser Richtung, mehrere Blocks südlich; Oscar nahm an, dass McWhitney diesen Weg nehmen würde, falls sein Fernziel Massachusetts war. Deshalb verließ er die Tankstelle, fuhr einen halben Block nach Norden, wendete und stellte sich ins Parkverbot vor einem Hydranten. Er blieb im Wagen sitzen und suchte im Radio einen Klassiksender: Schumann.

Oscar Sidd war keine so wichtige Figur in der internationalen Finanzwelt, wie er gern vorgab, aber allein der Ruf verhalf ihm manchmal zu interessanten Geschäften. McWhitneys Geld zum Beispiel, das konnte jetzt interessant sein. Er hatte tatsächlich Möglichkeiten, heißes Geld in Übersee zu waschen, vor allem in Russland, obwohl die Leute, mit denen man da Geschäfte machen musste, zu den Schlimmsten auf der ganzen Welt gehörten. Man konnte von Glück sagen, wenn man sie wieder los war, ohne alles zu verlieren, was man besaß, sein Leben eingeschlossen. Trotzdem, McWhitneys Geld konnte das Risiko wert sein. Oscar würde ihm einfach nachfahren und sehen, was sich machen ließ.

Es dauerte fast zehn Minuten, bis McWhitney herauskam, und dann hätte Oscar ihn beinahe übersehen, weil alles so schnell ging. Ein kleiner, ramponierter alter Ford-Ecoline-Transporter in einem sehr dunklen Grün und mit der Aufschrift CHOR DER ERLÖSERKIRCHE in nicht ganz regelmäßigen weißen Großbuchstaben auf der Tür verließ langsam das Tankstellengelände, hielt kurz und fädelte sich dann in den nicht besonders dichten Verkehr ein.

Oscar brauchte ein paar Sekunden, um zu erkennen, dass es sich bei dem Fahrer des Transporters, der sich vorbeugte, um nach links und rechts zu schauen, um McWhitney handelte, dann fuhr der Transporter auf die Straße hinaus und bog nach rechts ab, genau wie Oscar erwartet hatte. Er ließ noch ein Auto zwischen sich und den Transporter, dann fuhr er los.

Der Transporter war alt, die Stoßstange und die unteren Karosserieteile waren pockennarbig von Rost, aber das Kennzeichen aus dem Staat New York war neu, sauber und unverbeult. Die Beschriftung auf der Tür, CHOR DER ERLÖSERKIRCHE, war ebenfalls neu und musste der Grund sein, warum McWhitney den Transporter in diese Werkstatt gebracht hatte.

Warum legte sich McWhitney so einen Namen zu? Was konnte das bedeuten?

Er war nicht überrascht, als der Transporter nach mehreren Querstraßen den rechten Blinker setzte, die Auffahrt zum Belt Parkway nahm und nach Osten, dann nach Norden fuhr. Wir fahren nach Neuengland, dachte er erfreut, und im Radio kam etwas von Prokofjew.

SECHS

Die Polizeibesprechung in dem Bankgebäude löste sich auf, und Gwen ging mit Captain Modale in den Schalterraum hinaus. »Bob«, sagte sie, »ich muss Ihnen sagen, ich bin froh, dass Sie die Fahrt hierher auf sich genommen haben.«

»Zu meiner Überraschung«, sagte der Captain mit einem schwachen Grinsen, »kann ich das auch von mir sagen. Gestern auf der Herfahrt war ich ehrlich gesagt ziemlich mies gelaunt.«

Sie waren stehengeblieben, um ihre Unterhaltung fortzusetzen, während die anderen hinausgingen. Gwen sagte: »Sie haben das für reine Zeitverschwendung gehalten, stimmt's?«

»Ja. Vor allem weil ich meinen Ed Smith an jedem anderen Ort der Welt eher vermutet hätte als irgendwo hier in der Nähe.«

»Ich bin fast genauso verblüfft wie Sie«, sagte Gwen. »Als ich mit meinem John B. Allen geredet habe, hatte ich nicht den Eindruck, dass er unnötige Risiken eingehen würde.«

»Zwei Millionen Dollar«, sagte der Captain, »können schon eine starke Versuchung sein.«

»So stark, dass er einen Fehler machen würde?«

»Das können wir nur hoffen.«

»Aber jetzt, mit dem besseren Konterfei«, sagte Gwen, »haben wir vielleicht auch mehr Grund zur Hoffnung. Vor allem deshalb bin ich ja so froh, dass Sie rübergekommen sind. Ab heute nachmittag hängen die neuen Plakate, und wenn er noch hier in der Nähe ist, geht er uns garantiert ins Netz.«

»Am liebsten würde ich noch solange hierbleiben«, sagte der Captain. »Aber Sie werden uns ja sicher Bescheid geben.«

»Sie erfahren es als erster«, versprach ihm Gwen und lachte. »Ich maile Ihnen das Polizeifoto.«

»Tun Sie das.« Der Captain reichte ihr die Hand. »Hat mich sehr gefreut, Sie kennenzulernen, Gwen.«

»Ganz meinerseits, Bob«, sagte sie, während sie sich die Hände schüttelten. »Kommen Sie gut nach Hause.«

»Danke.« Der Captain drehte sich um. »Trooper Oskott?«

Der Trooper hatte am Schreibtisch eines Kreditberaters gesessen und in einer Jagdzeitschrift gelesen. Er stand auf, steckte die Zeitschrift ein und sagte: »Ja, Sir.«

Die beiden Männer gingen hinaus, und Gwen blieb stehen, holte ihr Handy heraus und rief ihren derzeitigen Freund an, Barry Ridgely, einen Strafverteidiger, der die Werktage bei Gericht und die Samstage auf dem Golfplatz verbrachte. Als er sich jetzt meldete – dem Klang nach war er irgendwo im Freien –, fragte sie: »Wie viele Löcher noch?«

»Ich kann in vierzig Minuten zum Lunch kommen, wenn du das meinst.«

»Meine ich. Du sagst, wo.«

»Wie wär's mit Steuber's?« schlug er vor. Das war ein Restaurant auf dem Land, das ursprünglich sehr germanisch gewesen war, inzwischen aber eine viel normalere Küche hatte. Wiener Schnitzel und Sauerbraten waren längst passé.

»Gebongt. Bis dann.«

Im Hinausgehen steckte Gwen ihr Handy ein und steuerte auf ihren Dienstwagen zu, als jemand »Detective Reversa?« rief.

Sie drehte sich um und sah Terry Mulcany, der anscheinend auf dem Bürgersteig auf sie gewartet hatte. »Ja?«

»Ich habe gewartet, dass Sie herauskommen«, sagte er. »Ich hätte zwei Fragen, wenn's Ihnen nichts ausmacht.«

»Überhaupt nicht. Schießen Sie los.«

»Tja, erstens«, sagte er. »Wie ich die Leute in meinem Verlag kenne, werden sie, wenn das Buch rauskommt, Fotos haben wollen, vor allem von den Detectives, die an dem Fall dran waren. Deshalb meine Frage: Hätten Sie vielleicht ein Bild von sich, das Sie besonders gut finden?«

Hatte er, fragte sie sich, diese Frage auch den anderen Detectives gestellt, die an dem Fall arbeiteten? Natürlich nicht. Lächelnd sagte sie: »Wenn es soweit ist, kann Ihr Lektor mich oder jemand anders auf meinem Revier anrufen. Da wird es bestimmt kein Problem geben.«

»Schön«, sagte er leicht enttäuscht. Was hatte er sich vorgestellt? Dass sie ihm ohne weiteres ihr Playmate-Foto aus dem *Playboy* aushändigen würde?

Sie wollte zu Steuber's und fragte deshalb: »Noch etwas?«

»Ja. Das andere wäre: Mir fällt einfach nicht mehr ein, wo ich den Typ gesehen habe.«

»Meinen John B. Allen.«

»Ja.« Er verzog das Gesicht zu einer Kabuki-Maske, um deutlich zu machen, wie sehr er sich das Gehirn zermarterte. »Ich weiß nicht, warum«, sagte er, »aber irgendwie erinnere ich mich an eine Birne. Im Zusammenhang mit der Stelle, wo ich mit den beiden geredet habe.«

Jetzt setzte sie eine Kabuki-Maske auf. »Eine Birne?«

»Sie kennen sich hier doch viel besser aus als ich«, sagte er. »Gibt es hier irgend etwas, ein Hotel oder so, mit einer Birne im Namen?«

»Nicht dass ich wüsste.«

»Egal«, sagte er und zuckte demonstrativ die Achseln. »Wenn mir noch was einfällt, rufe ich Sie an.«

»Tun Sie das«, sagte sie.

Barrys derzeitiger Mandant war ein Veterinär, der seine Frau erdrosselt hatte – oder eben nicht. Darüber würde demnächst eine Jury befinden, wahrscheinlich Anfang nächster Woche, und beim Lunch redete Barry in einer Tour von den Problemen, mit denen ein armer Verteidiger geplagt war, der nur einfach seinen Mandanten ins beste Licht rücken wollte. »Der Richter will partout nicht zulassen, dass ich in meinem Schlussplädoyer das Video vorführe«, klagte er und zerkrümelte in seinem Frust ein Brötchen. Sein Mandant hatte in glücklicheren Zeiten von irgendeinem Veterinärverband einen humanitären Preis erhalten, und Barry behauptete, niemand, der das Video von der Dankesrede des Mannes gesehen habe, würde ihm ein schlimmeres Vergehen als das Wegwerfen eines Kaugummipapiers zutrauen. »Der will mich nicht mal ein *Foto* davon herzeigen lassen.«

»Je nun«, sagte Gwen so zartfühlend wie möglich, »das hat ja auch mit dem Gegenstand der Anklage nicht viel zu tun.«

»Genau das sagt natürlich auch der Richter. Aber wenn ich den Preis nicht mal erwähnen darf, dann ist der Bart–«

»Bartlett!« sagte Gwen.

Barry sah sie stirnrunzelnd an, »Was?«

»Bartlett-Birne«, sagte Gwen, »Mrs. Bartlett. Bosky Rounds.«

»Gwen«, sagte er, »du sprichst in Rätseln.«

Sie strahlte ihn an: »Im Gegenteil! Ich hab gerade eins gelöst!«

SIEBEN

Trooper Louise Rawburton, die sich an diesem Nachmittag um acht Minuten vor vier in der Deer-Hill-Kaserne zum Dienst meldete, war eine von sechzehn Troopern, elf Männern und fünf Frauen, die – jeweils zwei pro Streifenwagen – die Spätschicht von sechzehn Uhr bis Mitternacht übernahmen. Sie war für diesen Dreimonatsabschnitt mit Trooper Danny Oleski zusammen, der meistens fuhr, was ihr nur recht war, denn so konnte sie mehr reden. Bei Danny durfte sie quasseln, soviel sie wollte. Deshalb herrschte in ihrem Streifenwagen immer gute Laune, und wäre das Rotationssystem nicht gewesen, wären Danny und sie, das wusste sie, als Team auf ihren Dienstfahrten für immer glücklich gewesen.

Doch das Rotationssystem, da waren sich alle einig, war alles in allem eine gute Einrichtung. Man setze zwei heterosexuelle Männer, die gut miteinander auskommen, mehrere Stunden täglich in den engen Raum eines Streifenwagens, und sie werden alte Geschichten austauschen, sich Witze erzählen, Filme empfehlen und sich ganz allgemein die Zeit vertreiben. Man nehme einen heterosexuellen Mann und eine heterosexuelle Frau, und sie werden es genauso machen, aber nach einer Weile werden sie anfangen, einander ein bisschen anders zuzulächeln, sie werden anfangen, einander zu berühren, anfangen, sich zu küssen, und dann sind Eheunglück und ineffiziente Polizeiarbeit vorprogrammiert. Eine dreimonatige Rotation ist im allgemeinen kurz genug, um derlei Dingen vorzubeugen – zur Erleichterung fast aller Beteiligten.

Als Louise sich zu Danny und den anderen vierzehn Troopern zu einer Vorbesprechung gesellte, um von Sergeant Jackson die Anweisungen für diesen Tag entgegenzunehmen, erwartete sie, dass es wieder dasselbe sein würde: Straßensperren. Seit über einer Woche verbrachten sie den größten Teil ihrer Dienstzeit mit der Errichtung von Straßensperren; die einzige Abwechslung war, dass die Sperren jeden Tag an einer anderen Stelle aufgebaut wurden.

Niemand hätte behauptet, dass die Straßensperren überhaupt nichts gebracht hätten. Man hatte eine Anzahl abgelaufener Führerscheine entdeckt, fehlende Versicherungen, defekte Scheinwerfer und den einen oder anderen Betrunkenen. Doch was den eigentlichen Zweck der Straßensperren anging, nämlich die drei Männer festzusetzen, die vor mehr als einer Woche drei gepanzerte Wagen zerstört hatten und mit dem vierten, der voller Geld war, entkommen waren – totale Fehlanzeige. Der eine, den sie festgenommen und dann wieder verloren hatten, war erwischt worden, weil ein Verkäufer in einem Lebensmittelladen einen der geraubten Scheine bekommen und die Polizei verständigt hatte. Trotzdem fühlten sich die da oben wohler, wenn sie aller Welt die Terminpläne durcheinanderbringen konnten, indem sie überall Straßensperren aufstellten und damit aller Welt mitteilten, dass *etwas getan wurde*. Das also hatten Louise und Danny und die übrigen die ganze Zeit getan, und das blühte ihnen sicher auch heute.

Falsch geraten. »Heute nachmittag«, sagte Sergeant Jackson, der vor ihnen auf dem schwarzen Linoleumboden in dem großen, quadratischen Raum mit den an der Rückwand gestapelten Tischen und Stühlen auf und ab ging, »haben wir leicht geänderte Anweisungen.«

Ein voreiliger Seufzer der Erleichterung stieg von den sechzehn auf, und Sergeant Jackson sagte mit einem angedeuteten Schulterzucken: »Wir werden sehen. Meine Damen und Herren, unser Auftrag hat sich gändert. Wir werden nicht mehr herumstehen und darauf warten, dass die Flüchtigen zu uns kommen. Wir werden sie aufstöbern, indem wir versuchen, das geraubte Geld zu finden.«

Einer der Trooper fragte: »Wie soll denn das gehen, Sarge? Sollen wir in Supermärkten rumhängen?«

»Den Männern ist es nicht gelungen, ihre Beute aus diesem Teil der Welt abzutransportieren«, antwortete Jackson. »Das ist die Annahme, von der wir ausgehen. Es ist ein großer, unordentlicher Haufen, dieses Geld, und unsere Theorie lautet: Wenn wir danach suchen, werden wir es finden, und wenn wir es finden, werden die Flüchtigen auch nicht weit sein.«

Darüber waren sich alle im Raum einig. Dann sagte Jackson: »Wir gehen wie folgt vor: Jedes Team bekommt einen Sektor, und in dem Gebiet werden Sie mit eigenen Augen jedes leerstehende oder verlassene Gebäude inspizieren. Leere Häuser, Scheunen, alles. Auf dem Tisch an der Tür liegt für jede Patrouille ein Umschlag mit der Beschreibung des jeweiligen Sektors und übrigens auch einem neuen Phantombild von einem der flüchtigen Verbrecher. Angeblich ist es dem Mann ähnlicher.«

»Was werden die sich denn noch alles ausdenken?« fragte ein Witzbold.

Auf dem Beifahrersitz überflog Louise die Liste der Straßen und Kreuzungen in ihrem Sektor, dann faltete sie die neue

Phantomzeichnung auseinander und betrachtete sie. »Ach, der«, sagte sie.

Danny warf kurz einen Blick darauf. »Ja, der«, bestätigte er.

»Diesmal sieht er nicht so fies aus«, befand sie.

»Er war immer ein guter Junge«, sagte Danny.

»Hat das mal jemand in einem Film gesagt?« wollte Louise wissen. »Man hört es ständig.«

»Keine Ahnung.«

Louise steckte die Zeichnung weg, nahm sich wieder die Liste vor, studierte sie noch etwas genauer und sagte: »Wir sollten in Hurley anfangen.«

»Ein schreckliches Kaff.«

»Tja, das haben sie uns zugeteilt. Oh!« rief sie plötzlich überrascht und erfreut. »St. Dympna!«

»Sankt was?«

»Da bin ich in die Kirche gegangen, als kleines Mädchen. St. Dympna.«

»Nie gehört«, sagte er. »Was ist denn das für eine komische Heilige?«

»Angeblich war sie Irin. Die meisten nach Heiligen benannten Kirchen sind römisch-katholisch, aber wir waren vereinigt-reformiert.« Louise musste lachen. »Das Witzige ist, als sie die Kirche gebaut haben, wollten sie einen ausgefallenen Namen, um Aufmerksamkeit zu erregen, und haben sich für die heilige Dympna entschieden. Hinterher, zu spät, sind sie draufgekommen, dass sie die Schutzpatronin der Irren ist.«

Danny schaute sie an. »Du verscheißerst mich doch.«

»Nein, ehrlich. Es hat sich rausgestellt, dass es in Belgien eine nach ihr benannte Irrenanstalt gibt. Für uns Kinder war das damals das Höchste, dass unsere Kirche nach der Schutzpatronin der Verrückten benannt war.«

»Ist sie noch in Betrieb?«

»Die Kirche? Nein, nein, die haben sie längst dichtgemacht, das muss über zehn Jahre her sein.«

»Weil ihnen die Verrückten ausgegangen sind?« riet Danny.

»Sehr witzig. Nein, das ist echt am Arsch der Welt, wo die steht. Die kleinen Farmer sind immer weniger geworden, und die Leute sind in die Nähe der Stadt gezogen. Irgendwann war niemand mehr da, der hingegangen wär, und niemand konnte sich den Unterhalt leisten. Sie wurde geschlossen, als ich auf der Highschool war. Erst gab es noch die Hoffnung, dass ein Antiquitätenhändler sie kaufen würde, aber da ist nie was draus geworden.«

»Also das ist dann einer der Orte, wo wir uns umsehen müssen.«

»Ja, klar.« Louise lächelte wehmütig und schaute auf die Straße vor ihnen. »Ich freu mich auf das Wiedersehen.«

ACHT

Mrs. Bartlett fand es schade, dass Captain Robert Modale und Trooper Oskott Bosky Rounds verließen. Nicht dass das Zimmer lange leerstehen würde; um diese Jahreszeit hatte sie immer eine Warteliste, und spätestens Montag würde es wieder vermietet sein. Aber sie mochte den Captain, fand ihn ruhig und sympathisch und eine erfreuliche Überraschung nach der plötzlichen Abreise von Mr. und Mrs. Willis.

Die Willis waren ebenfalls ruhig und sympathisch gewesen, im Gegensatz zu manchen anderen. Vor allem sie. Claire Willis. Aus ihrem Mann war Mrs. Bartlett nicht recht schlau geworden. Irgend so ein humorloser Geschäftsmann, der sich für nichts als seine Geschäfte interessierte und nur in Urlaub fuhr, um seiner Frau eine Freude zu machen; was natürlich wiederum für ihn sprach.

Aber erledigt hatte alles sie. Sie fuhr das Auto, sie übernahm das Reden, und sie war es, die sich entschuldigte, als die beiden wegen irgendeiner Krise mit seinem Geschäft vorzeitig die Heimreise antreten mussten.

Mrs. Willis war so verständnisvoll gewesen, hatte ihr sogar angeboten, die restlichen Tage ihrer Reservierung zu bezahlen, dass Mrs. Bartlett nicht einmal ärgerlich werden konnte. Natürlich hatte sie die Extrazahlung abgelehnt und Mrs. Willis versichert, dass sie das Zimmer im Nu wieder vermieten würde, und dann – die Willis waren kaum abgereist, und sie hatte noch nicht einmal Zeit gehabt, in ihre Warteliste zu schauen – kam der Anruf von der New York State Police, die ein Zimmer für eine Nacht brauchte.

Das war ein Zeichen, fand Mrs. Bartlett. Sie und Mrs. Willis waren freundlich miteinander umgegangen, und das war jetzt Mrs. Bartletts Belohnung. Sie hoffte sehr, dass auch Mrs. Willis belohnt wurde, vielleicht mit etwas anderem als diesem kalten Fisch von einem Mann.

Kaum eine halbe Stunde nach der Abreise von Captain Modale erschien Gwen Reversa, so frisch und durchgestylt wie eh und je. Freilich war Mrs. Bartlett nach wie vor der Ansicht, dass eine attraktive junge Frau wie Gwen niemals Polizistin werden dürfte. Aber da stand sie vor ihr, schon wieder mit einem Fahndungsplakat. Mrs. Bartlett konnte diese Dinger ehrlich gesagt nicht leiden, sie fand, dass sie dem Stil und der Atmosphäre von Bosky Round keinesfalls zuträglich waren, aber offenbar hatte sie keine Wahl. Ihre Rezeption war ein öffentlicher Raum, und in öffentlichen Räumen mussten nun mal leider Gottes diese Gangstervisagen aufgehängt werden.

Eine Bemerkung konnte sie sich trotzdem nicht verkneifen: »Schon wieder eins, Gwen? Ich habe ja kaum noch Platz an den Wänden.«

»Nein, das ist ein Ersatzplakat«, klärte Gwen sie auf und ging hinüber, wo die zwei Phantomzeichnungen und das eine Foto bereits an der Wand hingen. »Sie kennen diesen Captain Modale, der hier war.«

»Ein reizender Mann.«

»Ja. Also er und ich, wir sind beide demselben der drei Tatverdächtigen begegnet. Dem hier.« Sie nahm das neueste Plakat aus der Mappe und hielt es Mrs. Bartlett hin. »Wir haben mit der Zeichnerin zusammengearbeitet«, sagte sie, »und wir glauben, dass dieses Bild dem Mann jetzt viel ähnlicher ist. Sehen Sie's?«

Mrs. Bartlett wollte es nicht sehen. Sie kniff die Augen zusammen, nickte und sagte: »Ja, ich seh's. Es wird anstelle eines der anderen aufgehängt, sagen Sie?«

»Ja, das hier. Das alte nehme ich wieder mit.« Während sie das neue Plakat anstelle des alten mit Reißzwecken befestigte, fragte sie: »Hat ein Reporter namens Terry Mulcany mit Ihnen gesprochen?«

»Ach, der mit den echten Kriminalfällen«, sagte sie. »Ja, der war schon in Ordnung. Allerdings hat er's furchtbar eilig gehabt.«

Gwen drehte sich um, faltete das alte Plakat zusammen, steckte es in ihre Jackentasche und sagte: »Er meinte, er hätte diesen Mann möglicherweise irgendwo hier bei Ihnen gesehen.«

»In *meinem* Haus? Gwen!«

»Nicht im Haus, nur irgendwo in der Nähe. Draußen. Mit einer Frau.«

»Gwen«, sagte Mrs. Bartlett und zeigte auf die Reihe der Plakate, »keiner dieser Männer hat je Bosky Rounds betreten. Das ist doch wohl klar. Was um Himmels willen sollten die denn hier machen?«

»Na ja, irgendwo schlafen müssen die auch.«

Frostig erwiderte Mrs. Bartlett: »*Das* sind nicht meine Gäste, Gwen.«

Gwen musste lachen. »Nein, sicher nicht. Trotzdem, falls Sie jemand sehen, der so aussieht« – sie zeigte noch einmal auf das neue Plakat –, »rufen Sie mich unbedingt an.«

»Natürlich. Natürlich mach ich das.«

Gwen ging wieder, und Mrs. Bartlett brachte die nächsten

Minuten damit zu, die Leute auf ihrer Warteliste per E-Mail davon zu unterrichten, dass sich überraschend eine fünftägige Vakanz ergeben habe. Als sie gerade fertig war, kam Ms. Loscalzo von Nummer zwei, erster Stock hinten, auf dem Weg nach draußen vorbei, wie immer mit ihrer uneleganten schwarzen Ledertasche über der Schulter. »Und schon wieder Landschaft!« sagte sie, als sei es ein Witz oder eine schwierige Aufgabe.

»Genießen Sie den Tag«, sagte Mrs. Bartlett.

»Gute Idee, mach ich«, sagte Ms. Loscalzo, winkte und marschierte hinaus.

Mrs. Bartlett konnte nicht umhin, sich ihre Gedanken über Sandra Loscalzo zu machen. Zu dieser Jahreszeit kamen die meisten Touristen paarweise oder in Gruppen. Singles waren ganz selten. Sicher, man ging schon mal allein ins Kino oder in ein Museum, aber wer fuhr denn ganz allein in seinem Auto durch die Gegend, um sich das bunte Herbstlaub anzuschauen? So gut wie niemand.

Außerdem kam ihr Ms. Loscalzo ein bisschen gewöhnlicher vor, ein bisschen – Mrs. Bartlett schämte sich fast dieses Gedankens – mehr Unterschicht als die meisten anderen Laubgucker, die sie im Lauf der Jahre zu sehen bekommen hatte. Und sie trug keinen Ehering, obwohl das nicht unbedingt etwas bedeuten musste. Vielleicht musste sie sich erholen, weil sie gerade eine Scheidung hinter sich hatte, und brauchte einen Tapetenwechsel, um ihr normales Leben wenigstens für ein paar Tage vergessen zu können. Das konnte es sein.

Während sie über Sandra Loscalzo nachdachte, merkte Mrs. Bartlett, dass sie unwillkürlich die Plakate der gesuchten Räuber betrachtete, die ihrer Empfangstheke schräg gegenüberhingen, und vor allem das neue, das ihr am nächsten war.

Ach du meine Güte. Sie starrte das Plakat an, dann stand sie auf, ging hinüber und musterte es stirnrunzelnd aus dreißig Zentimeter Entfernung.

Das war doch nicht möglich. Oder doch? Konnte diese nette Claire Willis mit *so was* verheiratet sein? Nein, unmöglich.

Aber es stimmte. Je länger sie in dieses kalte Gesicht starrte, um so deutlicher sah sie ihn dort stehen, dicht hinter seiner Frau. Er hatte kaum etwas gesagt und so gut wie keine Gefühlsregungen gezeigt, auf jeden Fall keine Begeisterung für das Betrachten von Herbstlaub.

Aber warum sollte Claire Willis mit einem Bankräuber verheiratet sein? Es war lachhaft. Dieser Sandra Loscalzo hätte Mrs. Bartlett schon eher zugetraut, dass sie mit so einem verheiratet war; aber doch nicht Claire Willis.

Es musste eine Erklärung geben. Vielleicht hatte die Polizei von Anfang an den falschen Mann im Visier gehabt, oder vielleicht war diese Zeichnung auch nicht genauer als die erste. Es hatte beim erstenmal nicht gestimmt, warum sollte es jetzt stimmen?

Sollte sie Gwen anrufen und die Polizei machen lassen? Mrs. Bartlett hatte das unbehagliche Gefühl, dass sie jetzt genau das hätte tun müssen, aber sie wollte nicht. Dabei dachte sie nicht an Henry Willis, sondern an Claire. Sie wollte nicht, dass Gwen hochnäsig auf Claire Willis herabschaute. Was immer diese Frau für Probleme hatte, Mrs. Bartlett wollte auf keinen Fall diejenige sein, die alles noch schlimmer machte. Sie konnte Gwen nicht anrufen, weil sie der netten Claire Willis keinen Ärger machen konnte.

Und es gab einen zweiten, noch besseren Grund, obwohl sie sich den kaum eingestand. Tatsache war jedoch, dass sie äußerst nachlässig gewesen war. Ja, sicher, sie hatte Gwen immer wieder versichert, dass sie sich die Plakate angesehen habe, dass sie bereit sei, ihrer Bürgerpflicht nachzukommen, sollte einer dieser Räuber zufällig in ihrer Pension auftauchen.

Aber hatte sie die Plakate studiert? Hatte sie aufgepasst? Der Mann war hier drin gewesen, in diesem Haus, in diesem Raum, und sie hatte nichts bemerkt. Wie konnte sie jetzt anrufen und sagen: »Ah, Gwen, mir ist eben aufgefallen …«

Nein. Das ging nicht. Sie konnte Gwen nicht anrufen, jetzt nicht, niemals, und zwar deshalb, weil es einfach zu peinlich gewesen wäre.

NEUN

Sandra fuhr in südöstlicher Richtung aus der Stadt hinaus in Richtung Mass Pike. McWhitney hatte sie am Morgen aus Long Island angerufen und ihr mitgeteilt, dass ihr neuer Transporter ein Ecoline war, dunkelgrün, nicht schwarz, und dass er voraussichtlich gegen fünf bei ihr sein würde. Sie hatte ihm nicht gesagt, dass sie ihm auf der letzten Etappe auf den Fersen bleiben würde, doch genau das hatte sie vor. Lieber zuviel Vorsicht als zuwenig, das war ihr Credo.

Sie rechnete mit zwei oder drei Straßensperren, doch die gestern noch unübersehbare Polizeipräsenz hatte sich plötzlich verflüchtigt. Wohin waren die alle verschwunden? Hatten sie Nick wieder eingefangen? Wenn ja, dann mussten sie und McWhitney neu überdenken, wie sie an das Geld in der Kirche kommen sollten, und Parker konnte da drüben schon in Schwierigkeiten stecken. Sie schaltete das Autoradio an und suchte Nachrichtensender, hörte aber nichts über neue Entwicklungen bei der Fahndung nach den Räubern.

Also wo waren die Cops alle? Sandra hatte nichts übrig für Fragen ohne Antworten. Fast war sie in Versuchung, einfach weiter nach Süden zu fahren und diese ganze Sache auf sich beruhen zu lassen.

Aber McWhitney nachfahren konnte sie ja trotzdem. Wenn bei ihm irgend etwas faul war oder falls ihn die Cops erwischten, würde sie sich aus dem Staub machen.

Es gab zwei Tankstellen in der Nähe der Turnpike-Ausfahrt, die er nehmen würde. Sie entschied sich für die in seiner Fahrtrichtung, parkte inmitten der wenigen anderen Autos am Rand des Geländes und rief ihn mit ihrem Freisprech-Handy in dem Transporter an.

»Ja?«

Er sagte natürlich nicht hallo wie jeder andere. Sandra sagte: »Wollte nur wissen, wie Sie vorankommen.«

»Gut.«

Das war hilfreich. »Wie lange noch, was schätzen Sie?«

»Sie sind wirklich heiß auf den Zaster, was?«

»Ich will mir nur nicht gerade die Haare richten, wenn Sie hier eintrudeln.«

Er musste lachen und wurde ein bisschen lockerer. »Richten Sie sich die Haare morgen. In weniger als einer Stunde bin ich da.«

»Wo sind Sie jetzt?«

»Auf dem Pike. In fünf bis zehn Minuten bin ich an der Ausfahrt.«

»Ich bin da«, versprach sie und beendete die Verbindung. Die nächsten sieben Minuten beobachtete sie den Verkehr, der die Rampe herunterkam und sich dann verteilte.

Wäre Roy Keenan noch am Leben und immer noch ihr Partner gewesen, hätte er nördlich von hier darauf gewartet, dass Sandra ihm Bescheid sagte, sobald der Transporter den Turnpike verließ, und ihn ihm beschrieb. Dann wäre er vor ihm hergefahren und hätte ihn im Rückspiegel beobachtet, so dass Sandra weit zurückbleiben, den Transporter außer acht lassen und nach anderen interessierten Parteien hätte Ausschau halten können. Aber Roy war verschwunden und hatte bis jetzt noch keinen Nachfolger, deshalb hatte sie keine andere Wahl.

Sandra hatte ihre Privatdetektiv-Lizenz ein Jahr nach dem Collegeabschluss bekommen und die ersten Jahre überwiegend unwichtige Fälle von Wirtschaftskriminalität bearbeitet, für eine große Detektei mit vielen Firmenkunden. Sie untersuchte Mitarbeiter-Diebstähle in Kaufhäusern, Verkäufe von Geschäftsgeheimnissen durch Angestellte, kleinere Betrugsfälle und buchhalterische Verfehlungen.

Die Arbeit, die anfangs interessant gewesen war, wurde ihr bald langweilig, aber sie fand keine annehmbare Alternative, bis sie bei einer FBI-Fortbildung zum genetischen Fingerabdruck Roy kennenlernte, dessen bisherige Partnerin ihn gerade verlassen hatte, um zu heiraten. »Also mir wird das nicht passieren«, versicherte ihm Sandra.

Sie wurden ein sehr gutes Team. Sie behielt ihr Privatleben für sich, und Roy war das recht. Manchmal schwammen sie im Geld, dann wieder waren sie längere Zeit knapp bei Kasse, aber nie waren sie völlig blank gewesen, bis zu dieser endlosen, teuren, frustrierenden Suche nach Michael Maurice Harbin, einer Suche, die sich noch immer nicht ausgezahlt hatte und der Grund dafür war, dass sie jetzt hier auf einen gefährlichen Schwerverbrecher in einem Ford Ecoline wartete.

Da. Sehr gut, gute Wahl, ein ramponierter dunkelgrüner Kleintransporter. Chor der Erlöserkirche.

Sie startete den Honda, wartete, bis der Transporter auf der Straße noch ein Stück nach Norden fuhr, und wollte vorsichtig ausscheren, hielt aber abrupt an.

Um ein Haar hätte sie ihn übersehen, verdammt, anscheinend war sie doch nicht so fit, wie sie gedacht hatte. Denn da war er, in einem unauffälligen Kleinwagen mit einer undefinierbaren Farbe, der sich gerade auf McWhitneys Fährte setzte.

Er, dieser Mann, hatte folgendes getan: Er war die Rampe heruntergekommen und hatte unten an dem Vorfahrtschild gehalten, obwohl überhaupt nichts kam. Er blieb fast zehn Sekunden stehen, also ziemlich lange, bis dann doch ein Auto kam, das in seiner Richtung fuhr. Dann folgte er diesem Wagen. Sandra kannte das Manöver, sie hatte es hundertmal selbst ausgeführt.

Sie gab Gas und fuhr über den Asphalt der Tankstelle bis an die Straße, um den Verfolger aus der Nähe zu sehen, wenn er vorbeifuhr. Ein bleicher, ausgemergelter Typ in Schwarz, vorgebeugt, sehr angespannt, sehr konzentriert.

Sandra machte das gleiche wie er – sie wartete, bis ein anderes Auto kam, und schloss sich dann dem Konvoi an. Hier draußen gab es Kleinstädte, durch die man fahren musste, und jede hatte mindestens eine Ampel. Als sie das erstemal alle bei Rot halten mussten, warf sie rasch einen Blick auf ihre Karte von Massachusetts, und als es weiterging, rief sie McWhitney an und sagte: »Sie haben eine Blechbüchse hinten dran, wissen Sie das?«

»Was? Wo sind Sie?«

»Hören Sie zu, Nelson. Er sitzt in einer kleinen Kiste, der übernächste hinter Ihnen.«

»Ach du Schande!«

»Ein großer, knochiger Typ in Schwarz, sieht aus, als hätte er noch nie im Leben ordentlich gegessen.«

»Dieser Scheißkerl.«

»Also kennen Sie ihn. Ein Kumpel von Ihnen?«

»Nicht mehr.«

»Okay.«

»Keine Sorge, Sandra, den werde ich schon los.«

»Aber nicht in dem Transporter«, sagte Sandra. »Wir können keine Probleme mit dem Transporter gebrauchen. Ich kümmer mich drum.«

»Dieser Dreckskerl.«

»Vor Ihnen ist die Route 518.«

»Ja, und?«

»Biegen Sie links auf die 518 ab, dann rechts auf die 26A und noch mal rechts auf die 47, dann sind Sie wieder auf dieser Straße und fahren einfach weiter wie zuvor.«

»Und da finde ich Sie dann?«

»Ich zieh ihn aus dem Verkehr, stoße dann später zu Ihnen. Da ist die 518.«

Die Ampel vor ihnen stand auf Grün. Der Transporter setzte den Blinker, der Verfolger ebenfalls. Sie bogen links ab, und Sandra fuhr weiter nach Norden. Zu McWhitney sagte sie: »Wollen Sie mir was über ihn erzählen?«

»Er heißt Oscar Sidd und weiß angeblich, wie man Geld außer Landes schafft.«

»Sie haben ihm gesagt, was wir haben?«

»Irgendwo müssen wir es hinterher ja hinbringen.«

»Und rein zufällig haben Sie vergessen, mir von Ihrem Freund Oscar zu erzählen.«

»Kommen Sie, Sandra. Ich hätte nie gedacht, dass der eine so linke Tour abzieht. Was stellt der sich vor? Dass etwas hinten von unserem Transporter runterfällt?«

»Er hat Ihnen verschwiegen, dass er heute hier rauffahren wird, Nelson, also wird er nicht nur ein bisschen was abhaben wollen, oder?«

»Dieses fiese Schwein. Falls er das wirklich vorhat, ist es ein paar Nummern zu groß für ihn.«

»Stimmt genau. Wenn Sie mich nachher am Straßenrand sehen, werden Sie nicht langsamer.«

»Da, Sie beleidigen mich schon wieder.«

»Gute Fahrt, Nelson«, sagte sie und brach die Verbindung ab.

Ein paar Minuten später musste sie an der Kreuzung mit der Route 47 bei Rot warten. Als die Ampel auf Grün sprang, fuhr sie langsamer weiter; sie suchte einen Platz, wo sie sich auf die Lauer legen konnte, und fand ihn neben einem kleinen Rathaus, auf einer Anhöhe über der Straße. Am Samstag nachmittag war das Gelände verwaist, und es standen keine Autos auf dem Parkplatz neben dem Gebäude. Sie fuhr die steile Zufahrt zu dem Parkplatz hinauf, stellte sich Richtung Süden, ließ das Beifahrerfenster herunter und wartete.

Nach nicht ganz zehn Minuten kam der Transporter. In sicherem Abstand dahinter, jedoch ohne ein drittes Fahrzeug dazwischen, Oscar Sidd in seiner No-Name-Nuckelpinne. Sandra ließ das Handschuhfach aufklappen und nahm ihren zugelassenen Taurus-Tracker-Revolver heraus, das Modell für das Kaliber .17HMR, eine Patrone, die in einer hochpräzisen Handfeuerwaffe mehr Durchschlagskraft entwickelte als die .22er.

Während der Transporter vorbeifuhr, lehnte sich Sandra zum rechten Fenster hinüber, krümmte die linke Hand um den unteren Rand des Rahmens, stützte die rechte Hand, in der sie den Revolver hielt, auf die linke und jagte ein Geschoss in Oscar Sidds rechten Vorderreifen.

Sehr gut. Der Wagen brach nach rechts aus, fuhr über die Bankette, krachte in die Böschung und kam zum Stehen. Die Windschutzscheibe war auf der linken Seite gesprungen, also hatte Mr. Sidds Kopf wohl Bekanntschaft damit gemacht.

Sandra ließ den Honda an, schloss das rechte Fenster, legte den Tracker beiseite und fuhr wieder auf die Straße hinunter.

Als sie an dem anderen Auto vorbeikam, sah sie, dass die Kühlerhaube verbeult war und dampfte. Mr. Sidd saß über das Lenkrad gebeugt und rührte sich nicht.

Wahlwiederholung. »Nelson?«

»Was gibt's?«

»Das bin ich hinter Ihnen. Sehen Sie mich?«

»Ah ja, die kleine schwarze Wanze.«

»Danke sehr. Finden Sie die Kirche von hier aus?« Sie war sich nämlich nicht sicher.

»Klar.«

»Dann bleib ich hinter Ihnen«, sagte sie, »und halte die Augen offen, ob noch mehr Freunde von Ihnen aufkreuzen.«

Sie erkannte dann doch die Straße wieder, an der die Kirche lag, als McWhitney in sie einbog. Straßensperren hatte es noch immer keine gegeben, aber sie hatte das eine oder andere Polizeiauto gesehen, das zielbewusst unterwegs war, nicht nur gemächlich auf Streife.

Was hatte sich in der Welt geändert? Sie hatte sich überlegt, ob sie mit McWhitney darüber sprechen sollte, sich aber dagegen entschieden. Wenn bei der Kirche alles okay war, gut und schön. Sollte sich aber herausstellen, dass McWhitney dort Ärger bekam, würde sie einfach weiterfahren – was ging sie der Transporter an? – und Kurs auf Long Island nehmen.

Da war es, Kirche auf der rechten, weißes Haus auf der linken Seite. McWhitney fuhr zu dem Haus, denn dort musste Parker sein, und Sandra lag so weit zurück, dass McWhitney schon ausgestiegen war und ungeduldig schaute, als sie neben ihm hielt. Sie öffnete die Tür, McWhitney fragte: »Wollen Sie es sich hier gemütlich machen?«, und aus dem Haus hörte man einen Schuss.

ZEHN

Es war die schlimmste Woche in Nick Dalesias Leben gewesen, aber dann war eben doch nicht alles restlos den Bach runtergegangen. Jedesmal, wenn alles aussichtslos schien, zeigte sich ein kleiner Hoffnungsschimmer, der gerade ausreichte, um ihn wieder auf Trab zu bringen. Manchmal dachte er schon, Aussichtslosigkeit wäre doch die bessere Option. Auf alle Fälle hätte er es ruhiger.

Öffentliche Verkehrsmittel hatten sich als beste Möglichkeit angeboten, sofort nach dem Überfall aus dem Fahndungsgebiet zu verschwinden. Wie hätte er ahnen können, dass er, um wie ein Marlin im Netz gefangen zu werden, nichts weiter tun musste, als sich im Bus nach St. Louis ein Sandwich zu kaufen und mit einem Zwanziger aus der Beute zu bezahlen?

Danach, mit all den Polizisten um sich herum, war er überzeugt gewesen, dass alles aus war, und die erste Nacht in der Einzelzelle in einem Gebäude der State Police im westlichen Massachusetts hatte er damit zugebracht, darüber nachzudenken, was er denen anbieten konnte, um ein milderes Urteil zu erlangen.

Auf alle Fälle das Geld. Und McWhitney: Er konnte direkt mit dem Finger auf seine Bar zeigen. Und Parker – auch für ihn konnte er entscheidende Hinweise geben. Und die Geschichte von Harbin, den Parker umgebracht hatte, weil er verdrahtet war, und die Namen der anderen Anwesenden bei diesem

Treffen. Alles in allem hatte er ganz schön was anzubieten. Trotzdem würde er richtig lange einsitzen müssen, das war ihm klar, aber es war ihm doch ein bisschen wohler, als wenn er mit ganz leeren Händen in das Verhör gegangen wäre.

Doch dann am nächsten Morgen wurde er gar nicht vernommen, also konnte er ihnen auch nicht sagen, welchen Top-Anwalt sie anrufen sollten; es war ein Typ, den Nick nicht kannte, über den er aber etwas in der Zeitung gelesen hatte. Er würde der ideale Mann für seine Verteidigung sein, und er würde den Job auch bestimmt übernehmen, weil es sich um einen spektakulären Fall handelte und das ein Anwalt war, der gern spektakuläre Fälle übernahm.

Aber nichts davon geschah, und dann, früh am Morgen, wurde er rausgeholt und mit einer Tasse Kaffee und einem Donut in ein kleines Büro gesetzt. Er war in den Händen der US-Marshals, und die wollten ihn überhaupt nicht vernehmen, sondern sollten ihn nur einfach irgendwo anders hinbringen.

Nur ein Marshal war in dem Raum, er trug eine automatische Dienstwaffe in einem Holster an einem Gurt über der Uniformjacke; sein Partner war hinausgegangen, um sich um den Transport zu kümmern. Der Kaffee war zu heiß zum Trinken, also schüttete Nick ihn dem Marshal ins Gesicht, schnappte sich den Revolver, hieb dem Mann damit einmal über die Stirn und war im nächsten Moment an der Tür.

Abgeschlossen. Der Marshal musste einen Schlüssel haben. Nick machte kehrt, und der Kerl war bei Bewusstsein, setzte sich breitbeinig auf, tastete benommen in seiner Jacke herum und zog etwas heraus.

Der Scheißtyp hatte noch eine zweite Waffe! Mit einem Satz war Nick bei ihm, presste ihm den Revolver in die Brust, um den Knall zu dämpfen, und drückte ab.

Der Mann hätte bloß liegenbleiben müssen, bis Nick aus dem Zimmer war, und dann wie ein Opernsänger schreien, aber nein. Nick fand die Schlüssel und setzte sich in Bewegung.

Die Flucht aus dem Polizeigebäude war sehr schwierig gewesen. Es war ein Labyrinth, und der Alarm war schon eingeschaltet. Schließlich stieg er durch ein Fenster auf eine Feuerleiter und auf dieser nach unten, sprang auf ein Garagendach und von dort auf den Boden, und weg war er.

Den Revolver hatte er behalten. Er hatte dafür bezahlt, teuer bezahlt, und deshalb behielt er ihn auch.

Er raubte einem Pendler, der an einer roten Ampel seinen Kaffee aus dem Pappbecher trank, das Auto, konnte den Wagen aber nicht lange behalten – nur so lange, bis er in einer anderen Stadt war. Und auf der Fahrt überlegte er, wie er weiterkommen sollte.

Verkehrsmittel, öffentlich oder nicht, konnte er vergessen. Wenn er irgendwohin fuhr, würden sie ihn sofort schnappen. Nein, er musste sich ein Versteck suchen und dort bleiben, vielleicht eine Woche, vielleicht auch länger.

Aber wo? Wen kannte er in diesem Teil der Welt? Wo konnte er einen sicheren Platz zum Untertauchen finden?

Er war schon drauf und dran, sein geraubtes Gefährt stehenzulassen, als ihm Dr. Madchen einfiel. Kein Krimineller, keiner, den die Polizei aus irgendeinem Grund unter die Lupe nehmen würde. Aber Nick hatte etwas gegen ihn in der Hand, denn der Arzt kannte den Insider, von dem sie den Tip zu dem Überfall hatten, und sollte diesem ein Alibi geben.

Als es unmittelbar vor dem Überfall so ausgesehen hatte, als würde der Arzt Ärger machen – er bekam auf einmal Bedenken und führte sich dumm auf –, hatten Nick und Parker ihn zu Hause aufgesucht, um ein Wörtchen mit ihm zu reden. Das hatte gereicht, aber der Coup ging dann ja so schnell schief, dass kein Alibi der Welt den Insider hätte retten können, also hatte der Arzt dann doch nichts getan. Und das hieß, er war sauber; aber wenn Nick ihn um Hilfe bat, würde er ihm helfen.

Die Woche im Haus des Arztes war zermürbend. Nick hatte das furchtbar dringliche Gefühl, unbedingt tätig werden zu müssen, aber es gab einfach nichts zu tun. Die ganze Woche hindurch hieß es im Fernsehen, die Fahndung laufe nach wie vor auf Hochtouren, und er wusste, dass er der Grund war. Wäre es nur um das Geld gegangen, hätten sie allmählich etwas Tempo herausgenommen, aber er hatte einen der ihren umgebracht, und deswegen würden sie nicht so schnell aufgeben.

Er versuchte ständig, Pläne zu machen, Entscheidungen zu treffen, aber es gab schlicht nichts, was er hätte unternehmen können. Wenn er Dr. Madchens Haus verließ, wie lange würde es dann dauern, bis sie ihn wieder erwischten? Gar nicht lange. Aber sollte er vielleicht hierbleiben, unter diesen Umständen, als ob seine Füße an die Bodendielen genagelt wären?

Es war ihm noch nie in den Sinn gekommen, dass er eines Tages den Verstand verlieren könnte, aber jetzt war es soweit. Der nervenaufreibende, elektrisierende Drang, etwas zu *tun*, wenn es nichts zu tun gab; etwas Schlimmeres konnte er sich nicht vorstellen.

Manchmal dachte er, er würde den Arzt umbringen, seinen Wagen nehmen und was sich an Wertsachen im Haus fand, und Richtung Norden fahren. Doch dann fielen ihm die Straßensperren wieder ein, und er wusste, dass es so nicht ging. Er hatte keine sauberen Papiere. Sie hatten sein *Foto*. Was sollte er tun?

Am Freitag abend dann, als der Arzt ihm sagte, dass am nächsten Tag das Dienstmädchen zurückkommen werde und Nick nicht mehr länger im Haus bleiben könne, war Nick bereit zu gehen, und es spielte kaum noch eine Rolle, wohin. Die eine Woche erzwungener Untätigkeit hatte ihm mehr zugesetzt als ein Monat in einem Kriegsgebiet. Als der Arzt ihm das Ultimatum stellte – für ein richtiges Ultimatum war er zu feige, aber de facto war es eines –, war er fast froh, weil sich endlich etwas ändern würde, weil alles besser war als dieser Lähmungszustand, und er wusste sofort, was er tun würde.

»Morgen«, sagte er zu dem Arzt, »wenn Sie Ihre Estrella abholen, fahren Sie mich wohin«, und am nächsten Tag ließ er sich von Dr. Madchen an der Kirche vorbeifahren, ohne jedoch zu halten, darauf zu zeigen oder sich irgendwie anmerken zu lassen, dass die Kirche etwas mit seinen Plänen zu tun hatte. Dann jedoch, ein Stück weiter, wo die Straße eine Biegung zu einer Brücke über einen Bach hinunter machte, sagte Nick: »Halten Sie hier. Ich steige aus, und Sie fahren weiter.«

Der Arzt hielt neben der Straße, unmittelbar vor der Brücke, und Nick stieg aus, bückte sich noch einmal, um in den Wagen zu schauen, und sagte: »Wir sind uns nie begegnet, Doktor. Wenn Sie mir keinen Ärger machen, mach ich Ihnen auch keinen.«

»Ich werde keinerlei Ärger machen.«

Nick glaubte ihm. Der Arzt sah genauso erledigt aus wie er. »Danke«, sagte er und schlug die Tür zu, und Dr. Madchens Alero holperte über die Brücke und verschwand.

Nick sah keine anderen Autos, als er zur Kirche zurückging. Ob alles noch unverändert war? Er rechnete fest damit. Seine Idee – wenn man es so nennen konnte – lief darauf hinaus, dass er sich möglichst viel von dem Geld nahm, irgendwo hier in der Gegend ein Auto klaute und dann ausschließlich auf Nebenstraßen fuhr, um den Straßensperren zu entgehen.

Von Kanada erhoffte er sich immer noch am meisten – wenn es überhaupt noch eine Hoffnung für ihn gab. Er würde nach Norden fahren, aufwärts über die gewundenen kleinen Gebirgsstraßen. Er würde im Auto schlafen und das schmutzige Geld nur dann ausgeben, wenn er gleich weiterfuhr, und auch nur für Essen und Benzin.

Irgendwo oben kurz vor der Grenze würde er den Wagen zurücklassen und zu Fuß weitergehen müssen, egal, wie weit es bis zur nächsten Stadt auf der kanadischen Seite war. Dort konnte er den einen oder anderen Bruch machen, um an etwas sauberes kanadisches Geld zu kommen, wieder ein Auto klauen und nach Toronto oder Ottawa fahren. Dort konnte er bleiben, zumindest eine Weile, und sich überlegen, wie es weitergehen sollte. Kein toller Plan, aber was hatte er denn sonst schon?

Die Kirche sah noch genauso aus. Als sie hier untergekrochen waren, hatte McWhitney die verschlossene Seitentür aufgetreten, damit sie die Kartons mit dem Geld hineintragen konnten, dann hatten sie sie wieder zugetreten, so dass nichts auffiel, außer man sah genau hin. War daran irgend etwas geändert worden? Anscheinend nicht. Er lehnte sich gegen die Tür, und sie ging auf.

Das Geld war noch da, oben auf der Empore. Unangetastet. Nick füllte sich die Taschen, dann ging er hinunter und hin-

aus und machte sich diesmal gar nicht die Mühe, die Tür zu-
ziehen.

Er wollte eigentlich weiter die Straße entlanggehen, nach
einem abgestellten Auto vor einem Haus Ausschau halten oder
ein Auto rauben, doch da fiel sein Blick auf das Haus auf der
anderen Straßenseite, und er befand, es könne nichts schaden, einmal nachzusehen, ob da nicht was drin war, was er gebrauchen konnte. Er rechnete nicht damit, dass jemand in
dem Haus war, bewegte sich aber aus alter Gewohnheit möglichst leise, und als er in eines der Zimmer im ersten Stock
schaute, lag da jemand unter einer Art Steppdecke am Boden
und schlief.

Ein Penner? Vorsichtig ging Nick näher und fiel aus allen
Wolken, als er sah, dass es Parker war.

Was machte Parker hier? Er war wegen des Geldes da. Kein
anderer Grund war denkbar.

Aber wo war sein Auto? Nick war auf beiden Seiten der
Straße gewesen und hatte kein einziges Auto gesehen. War es
irgendwo versteckt? Wo?

Er hockte sich Parker gegenüber an die Wand und überlegte, was er tun sollte – ob er hinausgehen und den Wagen
suchen oder Parker wecken und ihn fragen sollte, wo er war,
oder ihn, wenn er aufwachte, einfach umbringen und sich auf
die Socken machen. Nick sah, dass Parker vom ersten Moment
an weder überrascht noch beunruhigt war, obwohl ihm beim
Aufwachen jemand mit einem Revolver in der Hand gegen-
übersaß.

Wir waren mal Partner, dachte Nick in dumpfer Fassungs-
losigkeit. Könnten wir wieder Partner werden? Könnten wir
uns zusammen aus diesem Schlamassel befreien?

Wir sind keine Partner, dachte er, während Parker ihn so

gelassen anschaute und sagte: »Da bist du ja.« Ich hab keine Partner mehr, dachte Nick. Ich hab nur noch Feinde.

»Wo hast du dein Auto?« fragte er.

Parker verarschte ihn. Er tanzte herum, ohne sich zu bewegen, ohne auch nur den Versuch zu machen, vom Boden aufzustehen. Er redete nur, tanzte herum. Er hat kein Auto. Aber warum hat er keins? Jemand hat ihn hier abgesetzt, eine Frau hat ihn abgesetzt, eine Frau, die Nick nicht kennt, hat ihn abgesetzt.

Mist! Wo ist diese Frau auf einmal hergekommen? Warum hat Parker hier geschlafen? Wütend jetzt, wütend auf Parker, auf den Marshal, auf die ganze Welt, hämmerte Nick mit dem Revolvergriff auf den Boden und fragte gebieterisch: »Was machst du hier?«

»Ich wollte nach dem Geld sehen.«

»Du wolltest das Geld *holen*.«

Nein, sagte Parker, nein, dafür sei es noch zu früh. Und immer noch mehr von diesen beschissenen Faxen, während Nick dahinterzukommen suchte, was Parker vorhatte.

»Du warst draußen, du warst frei und in Sicherheit und bist trotzdem zurückgekommen.« Plötzlich lief ihm ein Schauder den Rücken hinauf, und misstrauisch fragte er: »Ist Nelson auch hier?«

Aber Parker antwortete, er reise nicht mit McWhitney, und das glaubte ihm Nick. Aber was *machte* er hier? Plötzlich wusste er es. »Du wartest«, sagte er.

»Stimmt«, sagte Parker, und als spielte das gar keine Rolle, zog er die Decke von seinen Beinen.

Diese Bewegung gefiel Nick gar nicht. Im Moment gefiel ihm keinerlei Bewegung. Er war drauf und dran abzudrücken und zögerte nur, weil er wissen musste, was hier vorging, auf wen Parker wartete, wo hier ein Auto für ihn, Nick, zu finden war. Er richtete den Revolver auf Parkers Gesicht und schrie: »Keine Bewegung!«

»Ich bewege mich nicht, Nick. Ich bin bloß steif geworden, vom Schlafen hier auf dem Boden.«

»Du könntest noch steifer werden«, sagte Nick, und noch während er es sagte, wusste er, dass er nicht länger warten konnte. Parker war ihm überhaupt nicht mehr wichtig, er brauchte keine Antworten auf irgendwelche Fragen mehr, hatte keine Fragen mehr zu stellen.

Aber Parker redete immer noch, bewegte jetzt die Hände, sagte, sie könnten einander helfen, sagte: »Ich hab Wasser hier« und hielt mit der linken Hand eine Flasche hoch.

Wasser? Was kümmerte ihn Wasser? Aber er schaute auf die Flasche.

»Es ist bloß Wasser. Überzeug dich selber«, sagte Parker und warf die Flasche langsam aus dem Handgelenk im hohen Bogen Richtung Decke und in Nicks Schoß.

Nicks Augen folgten der Bewegung der Flasche nur eine Sekunde, aber eine Sekunde zu lange: Etwas wie eine große dunkle Schwinge raste durch den Raum auf ihn zu, und Parker war dahinter nicht mehr zu sehen, während die Decke auf Nick zuflog. Er gab einen ungezielten Schuss ab, und dann traf eine harte Handkante seine Revolverhand. Die Waffe schlitterte über den Holzfußboden, und Parkers andere Hand krallte nach Nicks Kehle. Nick schrie auf, stampfte mit beiden Füßen auf, um sich abzustoßen, warf sich herum, merkte, dass seine Ellbogen und Knie unter ihm waren, schnellte hoch und flog im nächsten Moment durchs geschlossene Fenster.

TEIL DREI

EINS

Parker griff nach dem fliehenden Körper, doch vom stundenlangen Schlafen auf dem Boden war er zu steif, waren seine Bewegungen nicht so koordiniert wie sonst. Er bekam Nick nicht mehr zu fassen und sah zu, wie er durch das Fenster krachte, wie das Fensterkreuz durch die Wucht des Aufpralls herausgerissen wurde und die Scheiben in tausend Scherben zersprangen, so dass ein gezacktes Loch zurückblieb, durch das frischer Wind hereinblies.

Parker verfluchte seine steifen Glieder, drehte sich um und schnappte sich den Revolver vom Boden. Gegen die Wand gestützt, rappelte er sich auf und humpelte zu dem klaffenden Fenster.

Nick war nirgends zu sehen. Er war auf dem verwilderten Rasen gelandet, gut drei Meter tiefer, und der Wald war nur ein paar Dutzend schnelle Schritte entfernt.

Das frische Blut an den zackigen Glasscherben war noch nicht gedunkelt. Nick war da draußen, und er war verletzt. Wie schwer?

Ein Geräusch auf der Treppe, hinter ihm. War Nick doch nicht weggerannt, sondern wieder ins Haus gekommen? Ohne seinen Revolver?

Parker zog sich in die Ecke gegenüber der Tür zurück und wartete. Er hörte schwere Schritte die Stufen heraufkommen, dann war alles still. Er wartete.

»Parker?«

Parker lehnte sich an die Wand. »Nelson«, sagte er.

McWhitney, seine eigene Waffe locker in der Hand, erschien in der Tür, stutzte aber, als er sah, was Parker in der Hand hielt: »Nanu! Was ist denn das?«

»Nicks Revolver.« Parker zeigte auf das zerstörte Fenster. »Das war Nick.«

»Er war *hier*?«

»Da rein, hier raus.«

»Wir haben's krachen hören. Sandra ist hintenrum gegangen.« Er ging an dem kaputten Fenster vorbei und fragte: »Wieso hat er dich nicht erledigt?«

»Er wollte wissen, wo mein Auto steht.«

McWhitney lachte, erst überrascht und dann belustigt. »Dieser gierige Scheißkerl. Wo hat er sich denn die letzte Woche verkrochen?«

»Hat er mir nicht gesagt.«

McWhitney beugte sich vor und schaute aus dem Fenster nach unten, dann rief er: »Was zu sehen?«

»Glasscherben«, rief Sandra zurück. »Kleinholz. Was ist da oben passiert?«

»Nick ist durchs Fenster gesprungen.«

»*Nick?*«

»Wir kommen runter«, sagte McWhitney.

Sie gingen hinunter und hinters Haus. Sandra stand da, wo Nick gelandet sein musste, und schaute stirnrunzelnd zum Wald hinüber. »Was genau ist passiert?« fragte sie.

»Ich hab geschlafen«, sagte Parker, »und dann ist Nick reingekommen. Er wollte ein Auto.«

»Sie haben kein Auto«, klärte Sandra ihn auf.

Parker zuckte die Achseln. »Wir haben darüber geredet.

Dann hab ich mir seinen Revolver gegriffen, und er ist durchs Fenster.«

»Sie haben ihn nicht gestoßen?«

»Ich wollte ihn gar nicht draußen haben. Ich wollte ihn dadrin haben.«

McWhitney sagte: »Wir müssen ihn finden, Parker.«

»Ich weiß.«

»Moment mal«, sagte Sandra. »Wir sind hier, wir haben den Transporter. Also holen wir doch das Geld und hauen ab.«

»Sandra«, sagte McWhitney, »Nick ist am Ende. Wo immer er sich verkrochen hatte, jetzt ist er da nicht mehr. Er ist zu Fuß unterwegs, hat sich an dem Fenster verletzt. Er ist so gut wie tot. Wenn die Cops ihn in die Finger kriegen, bin ich erledigt. Keine Bar mehr, nichts. Dann bin ich für den Rest meiner Tage auf der Flucht.« Zu Parker sagte er: »Und du genauso.«

»Na ja, nicht ganz.«

»Immerhin so, dass deine Freundin Claire nervös wird.«

»Das stimmt.«

Sandra fragte: »Was wollt ihr denn machen? Im Wald rumrennen? Da werdet ihr ihn nicht finden. Vielleicht verblutet er ja sowieso.«

»Darauf können wir nicht spekulieren«, sagte McWhitney.

Sandra überlegte und sah ein, dass sie in dem Punkt nachgeben musste. »Fünf Minuten.«

Parker sagte: »Sandra, es dauert so lange, wie es dauert.«

»Ihr findet mich bei den Autos«, sagte sie angewidert.

»Mit Ihrer Knarre auf dem Schoß«, riet ihr McWhitney.

»Jetzt beleidigen *Sie mich*.«

Sie entfernte sich ums Haus herum, und Parker ging zu der Stelle, wo das dürre Laub vor kurzem aufgerührt worden war, so dass streifenweise feuchteres Laub hervorschaute. Die

Streifen führten schräg von der rechten hinteren Hausecke weg.

Parker und McWhitney, beide mit einer Waffe in der Hand, entfernten sich in dieser Richtung vom Haus. Sie hielten sich auf gleicher Höhe, aber ein paar Schritte auseinander. In einiger Entfernung standen die schlanken, hohen, struppigen Bäume des nachgewachsenen Waldes wie eine Armee von Lanzenträgern, allesamt kerzengerade, dazwischen das Tageslicht in senkrechten Streifen. Der Boden war steinig und uneben, das Gelände stieg leicht an, und Gruppen dorniger Sträucher wechselten ab mit fast kahlen, mit Gras und Unkraut bewachsenen Flächen.

Zwei bis drei Minuten gingen sie durch das Gestrüpp und hielten nach allen Richtungen Ausschau, dann blieb McWhitney stehen und sagte: »Ich seh überhaupt nichts.«

»Ich auch nicht.«

Parker blickte zurück. Das Haus war fast nicht mehr zu sehen, nur ein paar weiß schimmernde Flecke. »Er ist uns entwischt«, sagte er.

McWhitney klagte: »Ich bin kein Fährtenleser, ich bin Barkeeper. Hier kann ich mich nicht voll entfalten.«

Sie machten kehrt, und Parker sagte: »Wenn du wieder zu Hause bist, solltest du für alle Fälle anfangen, dir ein Alibi aufzubauen.«

»Weiß ich doch. He, was ist das?«

Links vor ihnen flatterte ein Stück grauer Stoff, das am dornigen Zweig einer ausladenden Wildrose hängengeblieben war. Sie gingen hin, um es sich anzusehen, und Parker sagte: »Das ist die Hose, die er anhatte.«

»Die Straße ist gleich da drüben.«

»Ich weiß. Da ist Blut an den Dornen.«

»Der Scheißkerl ist verletzt«, sagte McWhitney, »aber er gibt nicht auf. Kommen wir hier auf die Straße?«

»Wenn wir bluten wollen wie Nick schon. Bequemer geht's am Haus vorbei.«

Sie gingen zum Haus zurück, und als sie auf die andere Seite kamen, stieg Sandra aus ihrem Honda und sagte: »Bringt mir ausnahmsweise mal eine gute Nachricht.«

»Wir leben noch«, sagte McWhitney.

»Nächster Versuch.«

Parker schaute sich den Transporter mit der Aufschrift CHOR DER ERLÖSERKIRCHE an. »Sieht gut aus.«

Sandra sagte: »Warum benutzen wir ihn dann nicht?«

»Sie fahren Ihren Wagen und den Transporter zur Kirche rüber, und wir schauen an der Straße noch mal nach Nick«, wies Parker sie an.

Sie seufzte tief auf, um zu zeigen, wie geduldig sie war. »Alles klar«, sagte sie.

Sie gingen die Straße entlang, während Sandra hinter ihnen die Fahrzeuge umstellte. Ein roter Pick-up mit zwei Männern in Jägermützen fuhr vorbei, aber keiner von beiden war Nick; alle winkten.

In einem Graben fanden sich Blutflecken, wo jemand in dem Gebüsch am Straßenrand gerutscht oder vielleicht gestürzt und dann weitergegangen war. Unmöglich festzustellen, welche Richtung er genommen hatte.

McWhitney sagte: »Ich könnte Sandras Wagen nehmen und die Straße abfahren. Oder sie könnte es machen, während wir die Kartons umladen.«

»Zeitverschwendung«, sagte Parker. »Man kann mit dem Auto keinen finden, der zu Fuß unterwegs ist. Wir holen jetzt das Geld und machen, dass wir hier wegkommen.«

Auf dem Rückweg zur Kirche sagte McWhitney gereizt, aber schicksalsergeben: »Apropos Alibi. Parker, ich muss überall rumfragen, wo ich noch was guthabe. Hoffentlich stellt sich raus, dass mir genug Leute noch was schuldig sind.«

ZWEI

Sandra hatte alles vorbereitet. Der Transporter war mit offenen Hecktüren auf dem betonierten Vorplatz an die Stufen zurückgesetzt, die zu der Seitentür führten, die McWhitney vor mehr als einer Woche aufgetreten hatte. Ihren Honda hatte sie an dieser Seitenwand der Kirche weiter vorn an der Straße, aber so nahe an der Kirche abgestellt, dass der Wagen für jemanden auf der Straße weitgehend verdeckte, was sich zwischen Kirchentür und Transporter abspielte.

McWhitney sagte anerkennend: »Gute Arbeit.«

»Ihr Jungs schleppt die schweren Kartons«, sagte sie. »Ich setz mich in mein Auto und pass auf. Wenn ich was sehe, was mir komisch vorkommt, hupe ich zweimal. Und dann fahr ich wahrscheinlich mit Vollgas davon.«

Parker sagte: »Wenn die schon so nahe sind, sollten Sie nicht abhauen. Dann sollten Sie von Ihrem Bürgerrecht Gebrauch machen und uns festnehmen.«

»Genau, Sandra«, sagte McWhitney. »Sie sind die aufrechte Staatsbürgerin. Sie haben eine Lizenz und so was.«

»Das war schon immer mein Traum«, sagte sie. »Mitten im Kreuzfeuer zu stehen. Aber jetzt fangt endlich an: Wir müssen hier weg.«

Sie fingen an. Sie mussten ziemlich viel schleppen, Kartons voller Geld und Kartons voller Gesangbücher, von der Empore die Treppe herunter und in den Transporter. Rechts von ihnen saß Sandra in ihrem Honda; der Motor lief, das Radio spielte Soft Rock, und Sandra las in einem *Forbes*-Heft.

Die Geldkartons und die Kartons mit den Gesangbüchern waren Umzugskartons des gleichen Typs, wenn auch zwei verschiedene Fabrikate – weiß, rechteckig und mit tief herabreichenden Deckeln, ähnlich den Schachteln, in denen Beweismaterial in Gerichtssäle gebracht wird. Da die Gesangbücher auf der Empore zur Tarnung zuoberst gestanden hatten, mussten die meisten zuerst hinuntergetragen und beiseite gestellt werden, damit die Geldkartons in den Transporter geladen werden konnten. Sie entwickelten ein Eimerkettensystem für zwei Mann, damit sie sich auf der Treppe nicht gegenseitig im Weg standen. Binnen einer halben Stunde war der Transporter zu zwei Dritteln voll, und oben standen immer noch Geldkartons.

»Tja, die müssen wir hierlassen«, sagte Parker. »Wir brauchen in der vordersten Reihe und oben Platz für die anderen Kartons, für die Straßenkontrollen.«

»Tut mir zwar in der Seele weh«, sagte McWhitney, »aber du hast recht.«

Es waren noch vier Geldkartons oben. Sie stapelten sie wieder mit Gesangbuchkartons zu, dann gingen sie hinunter, um den Transporter fertig zu beladen, und dabei fiel Parker ein Schmutzstreifen auf dem Boden auf, der vorher nicht dagewesen war. Er war nicht weit von der verschlossenen Tür zum Keller, wo sie sich nach dem Überfall verkrochen hatten, in einem ehemaligen Gemeinschaftsraum, aus dem die ganze Einrichtung entfernt worden war.

Sie trugen jeder einen Karton mit Gesangbüchern zum Transporter hinaus, und Parker sagte: »Mach weiter, ich muss was erledigen.«

McWhitney war neugierig, arbeitete aber weiter, während Parker zu Sandra vorging und sagte: »Ich brauche eine Taschenlampe.«

»Klar«, sagte sie und nahm eine aus einem kleinen Blechbehälter mit allerlei Utensilien, den sie vor dem Sitz am Wagenboden angeschraubt hatte, rechts vom Gaspedal. »Wofür?«

»Sag ich, wenn ich zurückkomme.«

Seiner Erinnerung nach würde es in dem Keller stockfinster sein, weil der Raum Sperrholzplatten hatte, die vor die Fenster geschoben worden waren, als da unten noch Filme vorgeführt wurden. Das bedeutete, dass er die Tür am oberen Ende der Treppe nicht aufmachen konnte, ohne dass Nick unten merkte, dass er herunterkam.

Warum war Nick ausgerechnet hierher zurückgekommen? Vielleicht dachte er immer noch, er könnte selbst einen Schnitt machen. Oder er wusste einfach nicht, wo er sonst noch hinkonnte. Vielleicht war sein Leben ein Labyrinth, und das war das äußerste Ende davon, und er hatte keine andere Wahl mehr.

Parker öffnete die Tür, schlüpfte hinein und machte die Tür hinter sich zu. Es war so finster, wie er es in Erinnerung hatte. Er ging lautlos zwei Stufen hinunter, dann setzte er sich auf die Stufe und wartete. Nick hatte sicher keine zweite Waffe, aber er konnte ja irgend etwas anderes haben.

Kein Licht da unten, kein Geräusch. Parker wartete, dann waren da auf einmal Geräusche und einen Moment später auch Licht, graues Tageslicht. Nick war dabei, eine der Sperrholzplatten von einem der Fenster wegzuschieben. Vielleicht dachte er, seine Chancen dadurch etwas verbessern zu können.

Parker legte die Taschenlampe, die nun überflüssig war,

hinter sich auf die Treppenstufe, stand auf und zog den Revolver des Marshal aus seiner Tasche.

Nick sagte: »Moment, Parker. Das musst du sehen. Wirf mal einen Blick nach draußen. Im Ernst, schau mal raus.«

»Wozu?«

Nick trat zurück und zeigte auf das Fenster. »Tu dir den Gefallen«, sagte er.

Parker stieg die restlichen Stufen hinab, ging an das Fenster und sah auf einen Streifenwagen der State Police hinaus, der vor Sandras Honda gehalten hatte und ihn blockierte. Zwei Uniformierte stiegen aus und rückten ihre Patronengürtel zurecht, während sie auf Sandra zugingen, ein Mann und eine Frau, beide weiß.

Mit einem Blick auf den Revolver in Parkers Hand sagte Nick: »Laute Geräusche sind nicht zu empfehlen. Jetzt nicht.«

DREI

Hatte Sandra wie versprochen zweimal gehupt, als sie den Streifenwagen gesehen hatte? Wenn ja, dann hatte Parker es dort unten nicht gehört. Wände aus Beton, die Räume überwiegend unter der Erde, Sperrholz vor den Fenstern. Aber ein Schuss wäre etwas anderes. Einen Schuss würden die Cops hören.

»Wir wollen doch nicht, dass die durchs Fenster reinsehen«, sagte er und schob die Sperrholzplatte mit der rechten Hand wieder davor, während er mit der linken nach Nick griff.

»He!«

Nick war zurückgewichen, aber sein Aufschrei sagte Parker, wohin er sich bewegte. Dann verriet er sich durch seinen stoßweise gehenden Atem, und schon hatte ihn Parker gepackt.

Das musste jetzt schnell gehen, dann musste er dieses Fenster wiederfinden und die Sperrholzplatte gerade so weit aufschieben, dass er den Weg zur Treppe zurück fand und die Taschenlampe an sich nehmen konnte. Dann zurück, das Tageslicht wieder ausblenden, die Taschenlampe anknipsen und rasch damit umherleuchten.

Da. Am hinteren Ende des Raums hatte sich früher eine Küche befunden. Die Geräte waren längst ausgebaut worden und hatten schwarze Lücken in der Resopalzeile hinterlassen, die über die ganze Breite der Rückwand lief, aber die eingebaute Spüle war noch da, und die Türen darunter waren ge-

schlossen. Sie gingen nach links und rechts auf, ohne Mittel-
strebe.

Parker öffnete die Türen des Unterbaus, sah, dass der Röh-
rensiphon noch vorhanden war, aber sonst nichts. Jede Menge
Platz.

Er schleifte Nick über den Linoleumboden, quetschte ihn in
den Raum unter der Spüle und schloss die Türen. Dann ging
er wieder hinauf und ins Freie, wo der Polizist gerade Mc-
Whitney Führerschein und Zulassung zurückgab und seine
Kollegin sich eines der Gesangbücher aus einem Karton in
dem Transporter ansah.

»Hallo«, sagte Parker, und alle schaute ihn an. Er nickte
Sandra zu und sagte: »Da unten ist nichts mehr.«

»Gut«, sagte sie und erklärte den Cops: »Das ist Desmond.
Er ist der andere Freiwillige.«

»Ich habe Genesungsurlaub«, sagte Parker.

Der Polizist fragte: »Sie waren im Keller unten?« Niemand
vernimmt jemanden, der Genesungsurlaub hat.

»Wir wollten wissen, ob da unten noch irgend etwas
Brauchbares ist«, sagte Parker. »Aber es ist alles ausgeräumt.«

Zu Sandra sagte er: »Der Kühlschrank ist weg, die Geschirrspülmaschine, alles.«

Die Polizistin zeigte auf die Taschenlampe, die Parker in der
Hand hielt. »Kein Stromanschluss mehr?«

»Kein Wasser, gar nichts.« Er schaute über die Schulter zu
dem Gebäude zurück. »Leer bis in alle Ewigkeit.«

»Aber nicht *seit* einer Ewigkeit«, sagte sie und lächelte über-
raschenderweise. »Ich bin als kleines Mädchen in diese Kirche
gegangen.«

Sandra, erfreut über diese Mitteilung, sagte: »Ach, wirklich? Wie war es damals?«

Darüber mussten sie alle eine Zeitlang reden. Sandra hatte sich offensichtlich zurückgenommen, so dass sie weicher wirkte und die Polizisten ihr beide abnahmen, dass sie mit irgendeiner religiösen Mission auf Long Island zu tun hatte und dass er und McWhitney resozialisierte Rowdys und jetzt freiwillige Helfer waren.

Nachdem die Erinnerungen an alte Zeiten hinreichend gewürdigt worden waren, sagte der Cop: »Louise, müssen wir das hier unbedingt auf den Kopf stellen? Diese Leute haben es doch schon durchsucht.«

»Vielleicht werf ich nur rasch mal einen Blick hinein«, sagte Louise. »Interessiert mich, wie es jetzt aussieht.«

»Es sieht traurig aus«, sagte Sandra. »Steht ja schon so lange leer.«

Louise zog die Stirn in Falten, dann sah sie ihren Partner an und schüttelte den Kopf. »Vielleicht doch lieber nicht.«

»Ich glaube, da hast du recht.« Und zu den anderen sagte er: »Wir lassen Sie jetzt hier weitermachen.«

Louise sagte: »Schön, dass die Gesangbücher ein neues Zuhause bekommen.«

»Hätten Sie gern eins?« fragte Sandra. »Als Andenken, sozusagen.«

Louise freute sich. »Im Ernst?«

»Sicher, warum nicht?« Sandra lachte sie an. »Ein Gesangbuch mehr oder weniger, darauf kommt's nicht an.«

Louise zögerte, aber dann sagte ihr Partner: »Jetzt mach schon, Louise, nimm es. Dann kannst du mir im Auto was vorsingen, während ich fahre.«

Louise musste lachen, und Sandra überreichte ihr eines der Bücher mit den Worten: »Einen würdigeren Besitzer könnte es nicht finden.«

McWhitney fragte: »Dürfte ich Sie beide um einen Gefallen bitten?«

»Sicher«, sagte der Polizist. Seine Partnerin drückte das Gesangbuch an ihre Brust.

»Wir fahren einen Kleintransporter.« Er zeigte auf den Wagen. »Und genau nach so einem Wagen wird überall gesucht. Wenn wir an jeder Straßensperre aufgehalten werden, sind wir erst am Dienstag auf Long Island. Könnten Sie vielleicht durchgeben –«

»Da machen Sie sich mal keine Sorgen«, sagte Louise. »Die Straßensperren sind aufgehoben.«

»Ach ja?«

»Deswegen sind wir ja hier draußen«, sagte Louise. »Wir durchsuchen jedes leerstehende Gebäude in dem ganzen Gebiet.«

»Nicht nach den flüchtigen Verbrechern«, sagte der Polizist. »Nach dem Geld.«

»Es muss hier noch irgendwo sein«, erklärte Louise. »Eine neue Taktik also. Dahinter steckt der Gedanke: Wenn wir das Geld finden, finden wir auch die Männer.«

»Klingt plausibel«, sagte Sandra. »Viel Glück dabei!«

»Danke.«

Die Cops entfernten sich, Louise mit ihrem Gesangbuch in der Hand. Sie stiegen in ihren Streifenwagen, winkten und fuhren davon. McWhitney schaute ihnen nach, dann sagte er: »Bloß gut, dass sie mit der neuen Taktik nicht schon gestern angefangen haben.« Mit einem Blick auf Parker sagte er: »Die Gesangbücher können wir jetzt rausschmeißen. Dann können wir auch das restliche Geld noch mitnehmen.«

VIER

»Kommt nicht in Frage«, sagte Sandra.

McWhitney warf ihr einen finsteren Blick zu. »Aha? Und warum nicht?«

»Ihr seid nach wie vor zwei Typen in einem Transporter«, sagte sie. »Die brauchen keine Straßensperre, um euch vorbeifahren zu sehen und sich zu fragen, was ihr hinten drin habt.«

»Sandra hat recht«, sagte Parker. »Und wir müssen los. Die beiden gehen gerade drüben in das Haus.«

Sie sahen zu, wie die beiden Cops aus dem Streifenwagen stiegen, auf die Veranda gingen, die Tür probierten und hineingingen.

Sandra sagte: »Was finden sie dadrin?«

Parker sagte: »Ein kaputtes Fenster und Ihre Decke.«

»Auf die Decke kann ich verzichten.«

McWhitney sagte: »Wie wär's, wenn Parker Ihren Wagen fährt? Dann sind wir ein Mann und eine Frau in einem Transporter.«

»Ich fahre meinen Wagen selbst«, beschied ihn Sandra.

Parker sagte: »Ich fahre mit Sandra. Wir folgen dir, und wir müssen *jetzt* losfahren. Die werden an dem kaputten Fenster Blut finden. Frisches Blut.«

Wenn es sein musste, war McWhitney schnell. Er nickte, schlug die Türen des Transporters zu, und lief nach vorne.

Parker und Sandra gingen zum Honda, und Parker sagte: »Nach Osten.«

»Okay.«

Sandra setzte sich ans Steuer, Parker auf den Beifahrersitz. Sie ließ den Motor an, dann wartete sie ab, bis McWhitney um sie herumgefahren war und nach rechts abbog, zu der Brücke über den Bach. Auf der Straße schaute Parker noch einmal zu dem weißen Haus zurück. Die beiden Cops waren noch drinnen.

»Die werden Verstärkung anfordern«, sagte er. »Aber die kommen dann nicht aus dieser Richtung.«

»Ich hab mich schon gefragt, warum Sie nach Osten fahren wollten.«

Vor ihnen holperte McWhitney über die Brücke; der Transporter war so schwer beladen, dass er schlingerte. Der Honda nahm die Brücke mühelos, und Sandra sagte: »Hat Nelson Ihnen von dem Typ erzählt, der ihm nachgefahren ist?«

»Ein Typ? Nein.«

»Oscar Sidd.«

»Nie gehört.«

»Nelson sagt, er ist jemand, der weiß, wie man Geld außer Landes bringt. Nelson hat mit ihm über unser Geld gesprochen, aber nicht damit gerechnet, dass Oscar ihm nachfahren würde.«

»Oscar hat geglaubt, er kann da mitmischen.«

»So war's wohl.«

»Und dass Nelson überhaupt mit ihm gesprochen hat, heißt, er wollte uns ausbooten.«

»Das ist mir auch aufgefallen.«

»Was ist mit Oscar passiert?«

»Ich hab ihm einen Reifen zerschossen und ihn im Straßengraben liegengelassen.«

»Lebendig?«

»Ich bringe keine Leute um, Parker«, sagte sie. »Ich hab nur auf seinen Reifen geschossen. Vielleicht hat er eine Gehirnerschütterung von der Windschutzscheibe, mehr nicht.«

»Jedenfalls ist er ausgeschaltet. Sehr gut.«

Sandra sagte: »Wie lange fahren wir nach Osten?«

»Sie können Nels erreichen, stimmt's?«

»Klar, über unsere Handys.«

»Sagen Sie ihm, wir kommen bald an eine größere Straße. Dort soll er rechts abbiegen und nach einem Imbiss oder so was schauen, wo wir haltmachen und reden können.«

Es war eine Bar, ein weitläufiger alter Holzbau mit überwiegend Pick-ups auf dem Parkplatz, einer Menge Samstagnachmittags-Kundschaft am Tresen und einem Billardtisch in dem offenen Bereich links vom Tresen. Auf der anderen Seite waren einige Nischen. McWhitney zeigte darauf und sagte: »Sucht uns einen Platz. Ich hol uns was.«

Parker und Sandra wählten eine Nische, und sie sagte: »Wollen Sie die ganze Nacht durchfahren?«

»Jedenfalls möglichst weit weg von hier. Mal sehen, was Nels meint.«

»Das Dumme ist«, sagte Sandra, »meine Sachen sind noch in meinem Zimmer bei Mrs. Apfelkuchen. Wenn ich da hinfahre, seid ihr wieder zwei Männer in einem Lieferwagen.«

McWhitney kam zurück, in seinen großen Händen drei Gläser Bier. Er stellte sie auf den Tisch, beugte sich tief herab und sagte: »Trinkt aus, und dann nichts wie weg.« Er setzte sich neben Parker.

»Was ist?« fragte Parker.

»Da hinter dem Tresen«, sagte McWhitney, »die Plakate. Das sind wir drei, du und ich und Nick.«

»Die hängen schon die ganze Woche aus.«

»Aber von dir haben sie ein neues da drüben«, sagte McWhitney. »Ich sag's nicht gern, aber es ist dir viel ähnlicher.«

Sandra sagte: »Wie haben die das hingekriegt? Hoffentlich nicht mit Mrs. Apfelkuchens Hilfe. Ich hab keine Lust, mir alle möglichen Fragen über meinen Umgang anzuhören.«

»Da fällt Ihnen schon was ein«, sagte Parker. »Aber wir müssen uns entscheiden.« Zu McWhitney sagte er: »Sandra muss noch mal in ihre Pension zurück, sie hat ihr Gepäck noch dort.«

»Also fahren doch wieder wir zwei zusammen, meinst du«, sagte McWhitney und schüttelte den Kopf. »Dann entsprechen wir wieder dem Täterprofil.«

»Wenn das neue Phantombild wirklich so gut ist«, sagte Parker, »kann ich keine Verkehrskontrolle riskieren. Sandra, Sie müssen mich noch ein Stück weiter chauffieren. Wenn wir erst mal südlich vom Mass Pike sind, haben wir das Fahndungsgebiet verlassen, und es kann uns nichts mehr passieren. Bringen Sie mich da runter, und fahren Sie dann wieder rauf. Ich fahr dann mit Nels weiter, und Sie kommen nach – in seine Bar.«

»Noch zwei Stunden länger im Auto«, sagte sie. »Na wunderbar.«

FÜNF

Sie waren noch nördlich des Mass Pike, in hügeligem, bewaldetem Gelände, und es wurde allmählich dunkel, da geriet ein entgegenkommender Polizeiwagen ins Stottern, als er an ihnen vorbeifuhr, und Parker sagte: »Der dreht um.«

Sandra schaute in den Spiegel. »Stimmt. Er hat seinen Christbaum an. Ich würde sagen, das Reden übernehm ich.«

»Nein«, sagte Parker. »Der will nichts von uns, der will den Transporter. Keine Fleißaufgaben! Wenn wir halten, leuchtet er mich an.«

Sandra fuhr scharf rechts ran, um die Polizisten vorbeizulassen, und sagte: »Gefällt mir nicht, dass McWhitney allein ist.«

»Wegen dem Geld, meinen Sie. Das ist schon okay. Er brennt uns nicht durch, er hängt zu sehr an seiner Bar.«

»Aber was wollte er dann mit Oscar machen?«

Vor ihnen fuhr McWhitney von der Straße herunter, und das Polizeiauto folgte ihm. Parker sagte: »Er wollte uns zusammen mit Oscar umbringen, nach Möglichkeit. Oder einfach alles laufen lassen und sehen, was passiert. Notfalls hätte er immer sagen können: ›Ach, ich hätte hier einen, der kann uns helfen.‹«

»Schöne Freunde haben Sie«, sagte Sandra.

»Er ist nicht mein Freund.«

Sandra fuhr über die Kuppe und auf der anderen Seite hinab, und weit vor und unter ihnen erstreckte sich der Mass Pike wie eine Art mattes Rampenlicht zwischen der dunkelnden Erde und dem noch hellen südlichen Himmel.

»Da vorn halte ich«, sagte Sandra und zeigte mit dem Kinn auf eine alte, zu einem Antiquitätenladen umgebaute Scheune. An einer kurzen, über dem Eingang schräg nach oben ragenden Stange flatterte eine GEÖFFNET-Fahne in Rot, Weiß und Blau. Zwei Autos standen auf dem kleinen Kiesparkplatz neben dem Gebäude. Sie fuhr auf den Parkplatz, hielt näher an der Straße als an den Autos und schaute in den Rückspiegel. Nach fünf Minuten sagte sie: »Das dauert zu lange.«

»Vielleicht nehmen die McWhitney die Rolle des frommen Bürgers nicht ab.«

»Ich fahr zurück.«

Sie verließ den Parkplatz und fuhr über die Kuppe zurück.

In dem Streifenwagen hatten zwei Trooper gesessen; beide waren ausgestiegen. Einer stand an McWhitneys offenem Fenster, in der Hand seinen Führerschein und seine Zulassung, und redete mit ihm. Der andere hatte die Hecktüren des Transporters aufgemacht. Zwei Gesangbücherkartons standen neben dem Transporter auf der Erde, die Deckel schräg angehoben. Der Trooper beugte sich in den Laderaum und verschob Kartons, um zu sehen, ob noch etwas anderes darin war. Im Vorbeifahren sahen sie, dass McWhitneys Gesicht vor lauter Anstrengung, ruhig und gelassen zu erscheinen, verkrampft war wie eine geschlossene Faust.

»Denen hat seine Nase nicht gepasst«, sagte Parker.

»Der Trooper muss jetzt nur noch merken«, sagte Sandra, »dass da zwei verschiedene Sorten Kartons drin sind.«

Parker schaute die Straße entlang, doch in der Richtung lagen keine Antiquitätenläden, überhaupt keine Gebäude, nur buntbelaubte Bäume auf beiden Seiten, die das letzte Tageslicht reflektierten. »Fahren Sie einfach an den Rand«, sagte er. »Wenn es so aussieht, dass die Verstärkung anfordern, setzen wir uns ab.«

»Sie müssen es wissen.«

Sie fuhr an den Rand, hielt und schaltete die Lichter aus, ließ den Motor aber laufen. Dann beobachtete sie die Szene hinter ihnen im Rückspiegel, während Parker den rechten Außenspiegel verstellte, so dass er ebenfalls sehen konnte, was vor sich ging.

Es herrschte nicht viel Verkehr auf der zweispurigen Straße, und die wenigen Autos, die in der einen oder anderen Richtung unterwegs waren, fuhren einfach an dem Transporter und dem Streifenwagen mit seinen Blinklichtern vorbei. Trooper, die andere Autos anhielten, sah man öfter mal.

Schließlich gaben die beiden Trooper auf. Der eine gab McWhitney seine Papiere zurück, der andere stand am Heck des Transporters, die Hände auf den Hüften. Dann gingen sie beide zu ihrem Streifenwagen, auf dessen Dach immer noch die Lichter blinkten. Die zwei Kartons Gesangbücher ließen sie hinter den offenen Hecktüren des Transporters auf der Erde stehen.

»Ordentlich sind die nicht«, sagte Sandra.

»Die bestrafen ihn dafür, dass er ihnen unsympathisch ist«, sagte Parker, »und dafür, dass er ihnen keinen Grund gegeben hat, ihn zu kassieren.«

Die Trooper stiegen ein, die Blinklichter gingen aus, und sie fuhren an dem Transporter vorbei und davon. Als sie außer Sicht waren, stieg McWhitney wütend aus dem Transporter, um die Kartons wieder hineinzustellen.

Parker sagte: »Fahren Sie da rüber.«

Sandra wendete, und sie hielten hinter dem Transporter. Gerade als McWhitney die Kartons verstaut und die Türen geschlossen hatte, ließ Parker das Fenster herunter und rief: »Wir halten bei einem Motel unten am Pike. Genug für heute.«

»Mehr als genug«, sagte McWhitney, stapfte davon und setzte sich ans Steuer.

Sandra wartete nicht auf ihn. Sie fuhr los, jetzt wieder Richtung Süden, und sagte: »Ich setz Sie bei dem Motel ab, aber das war's dann.«

»Ich weiß.«

»Ich bleib mit McWhitney in Kontakt, weil ich wissen will, wie das mit dem Geld weitergeht.«

»Sie können Ihrer Freundin sagen, dass sie aus dem Urlaub zurückkommen kann.«

Sandra lachte. »Schon geschehen.«

SECHS

Es war ein Ketten-Motel mit Restaurant und Bar. Vor dem Abendessen setzten sich Parker und McWhitney auf einen Drink in die Bar, wo Parker ihm Bargeld für sein Zimmer gab, weil McWhitney das Ganze über seine Kreditkarte laufen ließ. »Es wird immer schwieriger, ohne die Plastikdinger auszukommen«, bemerkte McWhitney.

»Ich besorg mir neue, wenn wir das hinter uns haben.«

Die Bar war fast leer – ein schummriger Raum mit niedriger Decke, quadratischen schwarzen Tischen und schweren Stühlen auf einem dunklen Teppich. Eine junge Bedienung in einem kurzen schwarzen Rock brachte ihnen ihre Drinks, und McWhitney unterschrieb den Beleg. Als sie ging, sagte Parker: »Ich weiß vielleicht einen, der sich um das Geld kümmern könnte.«

»Einen, der es uns abnimmt?«

»Das könnte er wahrscheinlich«, sagte Parker. »Aber vielleicht will er nicht. Beim letztenmal hatten wir eine Meinungsverschiedenheit. Aber er ist Geschäftsmann, vielleicht macht er's trotzdem.«

»Wer und was ist er?«

»Ein Typ namens Frank Meany. Er arbeitet für einen Laden in Jersey, einen Importeur alkoholischer Getränke. Cosmopolitan Beverages. Die sind gut vernetzt mit dem organisierten Verbrechen. Teilweise arbeiten sie auch mit Russland.«

»Klingt gut. Warum hast du ihn noch nie erwähnt?«

»Wir hatten ja das Geld noch nicht. Solange ich nichts anzubieten hab, hab ich auch nichts zu sagen.«

McWhitney nickte. »Und worum ging's bei der Meinungsverschiedenheit?«

»Die haben sich die Argumente von jemand anders zu eigen gemacht, jemand, der gemeint hatte, sich mit mir anlegen zu müssen.« Parker zuckte die Achseln. »Ich hab sie überredet, sich da rauszuhalten.«

McWhitney lachte. »Die haben die Nase in anderer Leute Geschäfte gesteckt, und du hast es ihnen heimgezahlt.«

»So ähnlich. Ich versuch morgen mal, ihn anzurufen. Wenn er sagt, ich soll mich zum Teufel scheren, kann ich's ihm nicht verdenken. Wenn er sagt, klingt gut, wir müssen uns treffen, dann kann das entweder bedeuten, dass es gut klingt und er sich mit mir treffen will, oder er ist noch sauer auf mich und will mir noch mal eins auswischen. Aber einen Versuch ist es wert.«

»Und ich wette, du willst mich dabeihaben, wenn der Typ sagt, okay, nichts für ungut, wir treffen uns.«

»Stimmt.« Parker zeigte hinter sich. »Aber ohne das Geld.«

SIEBEN

Am Montag vormittag gegen elf fuhr Parker mit Claires Wagen – noch immer der gemietete Toyota – zu der Tankstelle nicht weit von ihrem Haus, von wo aus er normalerweise seine Telefongespräche erledigte, um keine Spuren auf Claires Anschluss zu hinterlassen. Dafür brauchte er nur etwas Geduld und viel Kleingeld. Es war ein Münzfernsprecher im Freien auf einem Pfosten am Rand des Tankstellengeländes, der höchstwahrscheinlich nicht beobachtet oder abgehört wurde. In dieser ländlichen Umgebung gab es nicht viel, was die Aufmerksamkeit von irgend jemandem auf sich gezogen hätte.

»Cosmopolitan Beverages, mit wem darf ich Sie verbinden?«

»Frank Meany.«

»Wen darf ich anmelden?«

»Parker.«

Eine kleine Pause. »Ist das alles?«

»Er kennt mich«, sagte Parker.

Die Frau war lange weg, und als sie wiederkam, sagte sie: »Mr. Meany ist in einer Bespre–«

»Sagen Sie ihm, ich hab's eilig.«

»Sir?«

»Sagen Sie ihm, entweder wir reden jetzt, oder wir reden gar nicht. Ich werde nicht zurückrufen.«

»Sir, ich kann nicht –«

»Sagen Sie's ihm.«

Diesmal war die Wartezeit kürzer, und dann hörte er die Stimme von Frank Meany, die harte, schnelle Stimme eines abgebrühten Burschen. »Ich dachte, wir wären fertig miteinander.«

»Sie meinen das kleine Missverständnis. Alles vergeben und vergessen.«

»Aber Sie rufen mich an.«

»Mit einem geschäftlichen Vorschlag.«

Eine kurze schockierte Pause, dann: »Einem *was*?«

»Ich brauche Fachwissen und eine bestimmte Art von Zugang«, sagte Parker, »und ich glaube, Sie sind der Mann, der beides hat.«

»Was für Fachwissen wäre das?«

»Frank, haben Sie wirklich was übrig für lange Gespräche am Telefon?«

»Ich mag keine langen Gespräche mit *Ihnen*.«

»Es liegt bei Ihnen.«

Parker wartete, während Meany versuchte, aus der Sache schlau zu werden. Meany war ein hartgesottener Geschäftsmann, tätig in einer Grauzone, wo der legale Teil dessen, was er machte – Import von harten Getränken und Softdrinks aus verschiedenen Teilen der Welt –, sich als schützende Decke über den illegalen Teil legte. Er war nicht sein eigener Chef, sondern arbeitete für einen Mann namens Joseph Albert, mit dem Parker bei jenem letztenmal telefoniert, den er aber nie persönlich kennengelernt hatte. In dem Gespräch mit Albert war es darum gegangen, wie hoch die Verluste sein würden, die Albert sich selbst zufügte, falls er sich weiter mit Parker anlegte. Der erste Aktivposten, den Parker ihm entziehen wollte, war Meany gewesen. Zum Glück für alle hatte Albert eingesehen, dass es keinen Zweck hatte, Romantiker zu sein; der erste Verlust ist der geringste.

Ob Meany ihm das immer noch nachtrug? Natürlich. Würde er sich von seinem Unmut leiten lassen? Parker hätte gewettet, dass er dafür zu realistisch war.

Schließlich sagte Meany: »Sie wollen noch mal *hierherkommen*? Ich weiß nicht, ob ich Sie hier noch mal sehen will.« Mit *hier* waren Verwaltung und Lager der Cosmopolitan gemeint, in einem tristen Industriegebiet der Jersey Flats etwas südlich der Stelle, wo sich die New Jersey Turnpike Extension, eine kilometerlange Überführung aus Stahl und Beton, hoch über das Industriegeröll Richtung Holland Tunnel erhebt.

Parker sagte: »Nein, da muss ich nicht hin. Oben im nördlichen Teil des Staates, Sie wissen schon, nicht weit vom Garden State Parkway, gibt es einen State Park. Die haben dort einen Picknickbereich, direkt vor dem Gebäude der Parkpolizei. Leute, die dort ihren Lunch verzehren, fühlen sich immer sehr sicher.«

»Da würde ich drauf wetten«, sagte Meany. Es klang vergrätzt.

»Und ich wette, dass Sie und ich, nur Sie und ich, also ich wette, dass wir beide bis heute nachmittag um zwei dort sein können.«

»Von hier aus? Klar. Was ist für mich drin?«

»Darüber reden wir dann.«

Meany überlegte, dann sagte er: »Ein kleines Picknick mit Ihnen, vor der Parkpolizei.«

»Aber außer Hörweite.«

»Ja, hab schon verstanden. Also gut, aber keine vertrauliche Anrede. Dann bis um zwei.«

»Packen Sie's in eine braune Tüte«, sagte Parker.

Sein zweiter Anruf ging auf McWhitneys Handy. »Er hat ange-
bissen. Zwei Uhr.«

»Ich komme in Rot.«

ACHT

Parker war als erster da. Er stellte seinen Wagen auf dem Parkplatz ab, nahm die braune Papiertüte mit dem Reubensandwich aus dem Supermarkt und einer Flasche Wasser und suchte sich eine Picknickbank ziemlich genau zwischen der Fassade des flachen Backsteinbaus der Parkpolizei und der schmalen Zufahrtsstraße zum Parkplatz aus. Er setzte sich so, dass das Gebäude rechts und die Straße links von ihm war und der Parkplatz vor ihm lag.

Es war ein schöner Tag, aber ein bisschen zu kühl für einen Lunch unter freiem Himmel, und die meisten der etwa zehn, zwölf anderen Picknicktische waren leer. Parker stellte die Papiertüte auf den grobgezimmerten Tisch, stützte die Ellbogen auf und wartete.

Der rote Dodge-Ram-Pick-up kam als nächster, bog ein, fuhr langsam über die Zufahrt und parkte so, dass der Fahrer vom Picknickbereich aus im Profil zu sehen war. Dann nahm der Fahrer eine *Daily News* zur Hand und las die letzten Seiten mit den Sportnachrichten. Parker wäre es lieber gewesen, er hätte sich an einen Tisch gesetzt, weil er dann weniger aufgefallen wäre, aber das war kein Problem.

Der nächste Ankömmling allerdings konnte eines werden. Eine Mercedes-Limousine, schwarz, mit uniformiertem Chauffeur, hielt in der Zufahrt. Der Fahrer stieg aus, um den Schlag zu öffnen, und Frank Meany stieg aus und schaute in alle Richtungen gleichzeitig. Er hatte keine braune Tüte dabei.

Meany sagte etwas zu dem Chauffeur und kam dann heran, während der Fahrer sich ans Steuer setzte und den Mercedes direkt hinter dem roten Pick-up parkte. Meany, ein großer, massiger Mann mit kurzgeschorenem Rundschädel, war ein Schlägertyp mit einem guten Schneider und trug an diesem Tag einen perlgrauen Mantel über anthrazitgrauen Hosen, dunkelblaues Jackett, hellblaues Hemd und hellblaue Krawatte. Doch die Garderobe konnte nicht darüber hinwegtäuschen, was für ein Mann er war, mit seinem kantigen Gesicht, den Schweinsäuglein und den zwei schweren Ringen an jeder Hand, die nicht zum Angeben, sondern zum Zuschlagen bestimmt waren.

Meany näherte sich Parker mit gleichmäßigen, schweren Schritten und blieb auf der anderen Seite des Picknicktischs stehen, setzte sich aber nicht. »Tja, da wären wir also«, sagte er.

»Setzen Sie sich«, schlug Parker vor.

Meany tat es und fragte: »Keine Einwände gegen meinen Fahrer?«

»Wenn er aussteigt«, sagte Parker, »werde ich was tun.«

»Abgemacht. Dasselbe gilt für Ihren Freund in dem Pick-up.«

»Genau. Sie haben sich kein Sandwich mitgebracht.«

»Hab schon gegessen.«

Parker schüttelte irritiert den Kopf. Er nahm sein Sandwich aus der Tüte und zerriss die Tüte in zwei Teile, so dass er zwei Papierteller bekam, und sagte: »Leute, die in Autos wie dem da rumgondeln, verlernen es, für sich selbst zu sorgen. Wenn ich aus einem der Fenster da drüben herüberschaue und sehe, dass Sie nicht zum Lunch hier sind, wozu sind Sie dann hier?«

»Zu einem harmlosen Plausch«, sagte Meany achselzuckend.

»In New Jersey?« Parker schob Meany ein halbes Sandwich auf der halben Tüte hin und biss dann in die Hälfte, die ihm blieb.

Meany hob eine Ecke von dem Brot an. »Reuben«, stellte er fest. »Gute Wahl.« Er nahm seine Hälfte in die Hand und sagte: »Ich esse, Sie reden.«

»Vor zwei Wochen hat es oben in Massachusetts einen Überfall auf einen Geldtransport gegeben. In den Nachrichten war von zwei Komma zwei Millionen die Rede.«

»Ich erinnere mich«, sagte Meany. »Hat ganz schön Wirbel gemacht.«

Parker war froh, dass Meany nicht vorhatte, ihr letztes Zusammentreffen noch einmal durchzukauen, denn dazu hatte auch er keine Lust. Er sagte: »Einen von den Jungs haben sie gleich geschnappt, weil sich herausgestellt hat, dass die Seriennummern alle registriert waren.«

»Pech«, sagte Meany. Seine Äuglein beobachteten Parker so gespannt, als wäre er ein Tennismatch.

»Die Leute, die das Geld haben, können es nicht ausgeben«, sagte Parker.

Meany legte die angebissene Sandwichhälfte auf das Papier. »Sie sagen also, Sie haben es.«

»Nein, ich sage, Sie machen Geschäfte in Übersee.«

Meany überlegte, dann nickte er langsam. »Ihr Gedankengang wäre also, dass ich dieses Geld nehmen und dafür sorgen könnte, dass es sich in den internationalen Fluss mischt und damit wieder anonym wäre.«

»Genau.«

Meany dachte darüber nach und schaute zu den Palisades hinüber. »Möglich wär das schon«, sagte er.

»Gut.«

»Und hinterher teilen wir uns den Gewinn.«

»Nein«, sagte Parker, »so läuft das nicht. Sie würden es uns abkaufen, und wir würden verschwinden.«

Vorsichtig fragte Meany: »An welchen Preis denken Sie?«

»Zehn Cent pro Dollar. Vorkasse.«

»Und die Beute aus dem Überfall waren über zwei Millionen?«

»Ein paar Reibungsverluste hat's gegeben. Sagen wir rund zwei Millionen.«

»Zweihundert Mille«, sagte Meany und schüttelte den Kopf. »Soviel kann ich Ihnen nicht im voraus geben.«

»Anders geht's aber bei mir nicht.«

»Schon«, sagte Meany, »aber was machen Sie, wenn ich einfach nein sage?«

Parker sagte: »Sie fliegen manchmal nach Europa. Business Class, stimmt's?«

»Ja, und?«

»Sonst noch jemand in der Maschine?«

Meany musste lachen. »Verstehe. Es muss da draußen noch andere Kunden geben. Wo ist das Geld jetzt?«

»Long Island.«

»Sie haben es also aus Massachusetts rausgekriegt.«

»Stimmt.«

»Und jetzt gehen Sie damit auf den Markt. Über zwei Millionen, sagen Sie? Woher weiß ich, ob das stimmt?«

»Lesen Sie die Berichte. Schauen Sie, Meany, ich sage zehn Cent pro Dollar. Einen noch höheren Rabatt können Sie nicht erwarten. Wenn die tatsächliche Summe ein bisschen davon abweicht, nach oben oder unten, wer wird sich da beklagen?«

Meany dachte darüber nach. »Und Sie wollen Bargeld.«

»Echt, unmarkiert und nicht geklaut.«

Meany lachte. »Damit handeln wir gewöhnlich. Ich muss mich da noch beraten.«

»Mit Mr. Albert.«

Daran wollte Meany nicht gern erinnert werden. »Stimmt, Sie haben ja dieses Telefongespräch mit Mr. Albert geführt. Er hat's mir übelgenommen, dass ich Sie so nahe an ihn rangelassen habe.«

»Ich hatte keine Wahl.«

Meany nickte. »Na ja, Mr. Albert ist ein vernünftiger Mensch«, sagte er. »Er hat verstanden, dass ich auch keine Wahl hatte.«

»Gut. Dann gefällt ihm das ja vielleicht auch.«

»Schon möglich. Ich könnte ihm auch verschweigen, dass Sie der Verkäufer sind.«

»Damit hätte ich kein Problem.«

»Hab ich nicht anders erwartet«, sagte Meany. »Wo kann ich Sie erreichen?«

Parker sah ihn an. »Gefällt mir, dass Sie nie aufgeben«, sagte er. »Wann kann ich Sie anrufen?«

Meany grinste. Er genoss die Unterredung mehr, als er gedacht hatte. »Haben Sie's eilig?« fragte er.

»Nein. Wo es jetzt ist, ist es sicher, solange wir wollen.«

»Zu dumm. Mir wär's lieber, Sie stünden unter Druck.«

»Ist mir klar.«

Meany überlegte. »Rufen Sie mich am Donnerstag an«, entschied er. »Drei Uhr nachmittags.«

»Gut.«

Meany wedelte mit der Hand über die Sandwichreste. »Wir müssen nicht lunchen«, sagte er.

Zweieinhalb Wochen waren seit dem großen Überfall auf den Geldtransport vergangen, und immer noch waren weder die Räuber noch das Geld gefunden worden. Niemand gab es zu, aber der Polizeiapparat war nicht mehr ganz so ausschließlich mit der Fahndung befasst. Die Spur war erkaltet, und der Fall ebenso.

An diesem Montag nachmittag waren die Trooper Louise Rawburton und Danny Oleski fast am Ende ihrer von acht Uhr morgens bis vier Uhr nachmittags dauernden Tour, als sie an der St. Dympna United Reformed Church vorbeikamen. Louise saß am Steuer, weil Danny darauf bestand, dass sie ab und zu wechselten, also bremste sie, als sie die Kirche sah, und sagte: »Da ist sie wieder.«

Danny schaute hinüber. »Ja, und?«

»Ich will sie sehen«, sagte sie, bog ab und hielt neben der Kirche. »Wir hätten schon das letztemal reingehen sollen.«

»Da hatten wir doch alle Hände voll zu tun. Und wir mussten das kaputte Fenster in dem Haus gegenüber melden.«

»Na, heute haben wir nicht soviel zu tun. Komm schon, Danny.«

Danny zuckte die Achseln, und sie stiegen beide aus, rückten ihre Gürtel zurecht und gingen zu der kaputten Seitentür. Um diese Jahreszeit begann hier schon die Dämmerung – es war noch schön hell, aber in der Kirche würde es dunkel sein, deshalb hatten sie ihre Taschenlampen dabei. Sie zogen die Tür auf und gingen hinein, und ihre Lichtkegel erhellten die Bankreihen und drei der Gesangbuchkartons, die gleich hinter der Tür auf dem Boden standen.

»Anscheinend«, sagte Danny, »haben nicht alle reinge-passt.«

»Sollen wir sie mitnehmen? Und sie irgendwem spenden?«

»In die Kaserne mitnehmen können wir sie auf alle Fälle«, sagte Danny.

»Gute Idee.«

Er richtete seine Taschenlampe hierhin und dorthin und sagte: »Es ist wirklich eine Schande. Das Gebäude ist doch noch gut in Schuss.«

Louise bückte sich zu einem der Kartons und zog daran. »Die Dinger sind vielleicht schwer«, sagte sie.

»Ja, klar, natürlich. Bücher.«

»Vielleicht nehmen wir erst mal nur ein paar von den Bü-chern mit«, sagte sie. »Und stellen fest, ob sie irgend jemand haben will.«

»Eins reicht auch«, sagte Danny. »Die laufen nicht weg.«

Louise öffnete den Karton, den sie hochzuheben versucht hatte, und sie schauten beide auf die Stapel von Dollarschei-nen. Die Lichtkegel der beiden Taschenlampen zitterten leicht und richteten sich auf das viele Geld.

»Du meine Güte«, flüsterte Danny.

»Mann, Danny«, jammerte Louise, »o Gott, Danny, das wa-ren *die*.«

»Und wir haben noch mit ihnen geredet.« Danny hatte vor Schreck die Augen weit aufgerissen. »Wir haben da draußen gestanden und mit ihnen geredet.«

»Und dieses Miststück schenkt mir ein *Gesangbuch*.«

Dannys Taschenlampe schwenkte plötzlich herum und strahlte die Kellertür an. »Warum war der da unten?« fragte er. »Was hat der da unten gemacht?«

Verbittert äffte Louise den Mann nach, der aus dem Keller

heraufgekommen war. »Da unten ist nichts mehr, alles ausgeräumt, Kühlschrank weg, Geschirrspülmaschine, alles.«

»Louise«, sagte Danny, »was hat der da unten gemacht?«

Sie wusste keine Antwort. Er ging zu der Tür hinüber, machte sie auf und leuchtete mit der Taschenlampe die Treppe hinunter. Dann betätigte er nutzloserweise mehrmals den Lichtschalter. Er zog die Nase kraus und sagte: »Um Gottes willen, was stinkt denn da so?«

Detective Gwen Reversa wusste, dass sie manche Aufträge nur deshalb bekam, weil sie eine Frau war und deshalb für einfühlsamer gehalten wurde als der normale Polizist. Sie fand diese Einschätzung nicht falsch, ärgerte sich aber trotzdem darüber. Es wäre ihr lieber gewesen, die Aufträge würden geschlechtsneutral vergeben, aber wenn irgendwo der weibliche Touch gefragt war, würde immer sie diese Frau sein, das wusste sie.

In ihrem aktuellen Fall beispielsweise war sie eindeutig die einzige in der Abteilung, die man überhaupt für die Sache in Betracht gezogen hatte. Es ging um schuldhaft verursachten Tod als Ergebnis langjähriger Sklaverei. Die Täter waren ein schon etwas älteres chinesisches Ehepaar namens Cho, das zu den frühen Nutznießern des chinesischen Wirtschaftswunders gehörte. Die Chos entwarfen Spielsachen, die dann in den Fabriken ihrer Heimat hergestellt und weltweit vermarktet wurden. Sie waren so erfolgreich, dass sie sich vor fünf Jahren ein Anwesen im ländlichen Massachusetts gekauft hatten, keine fünfhundert Kilometer von Boston und New York entfernt. Jetzt lebten sie abwechselnd in China und den Vereinigten Staaten.

Ihr Personal in dem Haus in Massachusetts bestand aus

fünf chinesischen Staatsangehörigen, die kein Englisch konnten, illegal ins Land gebracht worden waren, misshandelt wurden und keinen Lohn erhielten. Das Finale kam, als der Koch der Chos an einem Blinddarmdurchbruch starb. Die Chos, die nicht durch eine Krankenhausbehandlung auffliegen wollten, glaubten lieber, dass der Koch simulierte und durch ein paar Extraschläge kuriert werden konnte. Als sie dann einen örtlichen Leichenbeschauer bestechen wollten, damit er den Todesfall nicht meldete, ging dieser zur Polizei.

Nun saß also Gwen in diesem feudalen neuenglischen Landhaus voller bunter fernöstlicher Ziergegenstände, zusammen mit einer Frau namens Franny von der Einwanderungsbehörde und einer Dolmetscherin namens Koh Chi von einem benachbarten College. Die vier verbliebenen, vor Angst halbtoten Angestellten beziehungsweise Sklaven erzählten stockend ihre Geschichte in Mandarin, während Koh Chi dolmetschte und ein Bandgerät als Zeuge fungierte. Die Chos selbst saßen im Moment in Untersuchungshaft und sollten vernommen werden, wenn am nächsten Tag ihr Anwalt aus Boston eintraf.

Dieser spezielle Auftrag war langwierig und ermüdend, aber auch herzzerreißend, und Gwen war es gar nicht so unangenehm, als ihr Handy in ihrer Umhängetasche klingelte. Ihre Zentrale war dran. Leise sagte sie zu Franny: »Ich muss das annehmen« und ging hinaus auf den Flur.

Es war Chief Inspector Davies. »Sind Sie da sehr angehängt?«

»Ja, ziemlich, Sir.«

»Die haben einen Teil von dem Geld gefunden.«

Es war zu lange her. Sie fragte: »Welches Geld, Sir?«

»Von dem Geldtransport.«

»Ach du liebes bisschen! Sie haben es *gefunden*?«

»Einen Teil davon. Und eine Leiche. Wird gerade identifiziert.«

»Ich komme sofort«, sagte sie, ging zurück, erklärte Franny alles und ließ sich von ihr versprechen, ihr nach den Vernehmungen ein Band zu schicken.

Diesmal war es der Konferenzraum in der Kaserne der State Police. Außer Chief Davies am Kopfende saßen noch zwei State Trooper seitlich an dem Tisch, ein Mann und eine Frau, die sich als Danny Oleski und Louise Rawburton vorstellten. Beide wirkten äußerst betreten, ziemlich ungewöhnlich für Trooper. Als Gwen sich ihnen gegenübersetzte, fragte sie sich deshalb, was da los war.

Nach den Präliminarien sagte Inspector Davies: »Die beiden Trooper werden Ihnen jetzt ihre Geschichte erzählen.« Er selbst machte ein ziemlich grimmiges Gesicht – Gwen kam der Ausdruck »Richter Gnadenlos« in den Sinn.

Die Trooper schauten einander an, und dann sagte Rawburton, die Frau: »Ich mach das« und wandte sich Gwen zu. »Draußen an der Putnam Road«, sagte sie, »gibt es eine Kirche namens St. Dympna, die vor einigen Jahren geschlossen wurde. Das war unsere Kirche, als ich ein Kind war. Vorletzte Woche, als wir die Anweisung bekamen, die Straßensperren zu vergessen und uns statt dessen auf leerstehende Gebäude zu konzentrieren, lag St. Dympna in unserem Sektor.«

»Als wir hinkamen«, fuhr der Mann, Oleski, fort, »waren zwei Männer und eine Frau dabei, Kartons mit Gesangbüchern aus der Kirche in einen alten Ecoline-Transporter umzuladen. Auf den Türen stand Chor der Erlöserkirche.«

»Wir haben zwei Kartons kontrolliert«, sagte Rawburton,

»und es waren Gesangbücher drin. Als ich erwähnte, dass ich früher in diese Kirche gegangen bin, hat mir die Frau sogar eins davon geschenkt.«

Oleski sagte: »Das Pfarrhaus war gegenüber, auf der anderen Straßenseite. Ebenfalls leer. Im ersten Stock stellten wir fest, dass ein Fenster auf der Rückseite herausgebrochen worden war, dem Anschein nach erst vor kurzer Zeit. Als wir zu unserem Wagen gingen, um das kaputte Fenster zu melden, war der Transporter verschwunden.«

Gwen sagte: »Ich glaube, ich weiß schon, wie diese Geschichte weitergeht. Sie waren noch mal bei der Kirche. Warum?«

»Wir sind zufällig dran vorbeigefahren«, sagte Rawburton. »Wir waren beim erstenmal nicht hineingegangen, und ich wollte wissen, wie es jetzt drinnen aussah.«

»Beim erstenmal hatten Sie nicht hineingeschaut?«

Oleski sagte: »Die drei Leute waren ganz kooperativ. Ich hab mir Führerschein und Zulassung zeigen lassen, alles in Ordnung. Einer der beiden Männer war im Keller, als wir hinkamen, und kam dann rauf und sagte, unten wär alles rausgerissen, Küchengeräte und so.«

»Die haben überhaupt nichts gegen unsere Kontrolle gehabt«, sagte Rawburton. »Jedenfalls kam es uns so vor. Es gab also nicht den geringsten Grund, der Sache nachzugehen.«

Gwen fragte Oleski: »Sie haben seinen Führerschein kontrolliert. Erinnern Sie sich an den Namen?«

Olewski zermarterte sich sichtlich das Gehirn. »Es ist zum Verrücktwerden«, sagte er. »Er war irisch oder schottisch. Mac Soundso. Ich komm einfach nicht mehr drauf.«

»Ich hab Chor der Erlöserkirche in Long Island gerade vorhin gegoogelt«, sagte Rawburton. »Den gibt es nicht.«

»Und was haben Sie vorgefunden«, wollte Gwen wissen, »als Sie heute reingegangen sind?«

»Drei Kartons mit Gesangbüchern auf dem Boden«, sagte Oleski. »Aber dann haben wir sie aufgemacht: Es war lauter Geld drin. Und als ich die Kellertür öffnete, schlug mir der Gestank entgegen.«

»Es war Dalesia«, sagte Davies. »Inzwischen ist er eindeutig identifiziert.«

»Ich sage mir ständig«, sagte Rawburton, »wir hätten mehr tun müssen. Aber was? Wir haben den Führerschein des Fahrers kontrolliert, die Zulassung des Wagens, wir haben in die Kartons geschaut.«

»Und die hatten Sie selbst geöffnet?« fragte Gwen. »Oder die anderen?«

»Einen hab ich aufgemacht«, sagte Oleski, »zwei haben die aufgemacht, den zweiten, als die Frau Louise das Gesangbuch geschenkt hat.«

»Ein hübsches Detail, nicht wahr?« sagte Richter Gnadenlos.

Gwen sagte: »Und die beiden Männer? Irgendeine Idee, wer die gewesen sein könnten?«

Rawburton schaute noch betretener drein und sagte: »Es waren die zwei von den Plakaten.«

»Aber das neue, das von dem Typ, der im Keller war«, sagte Oleski, »haben wir erst zu sehen bekommen, nachdem wir sie kontrolliert hatten. Und das war ja viel ähnlicher als das erste.«

Gwen schüttelte den Kopf und sagte zu Davies: »Das war vor neun Tagen. Sie waren hier, genau wie Sie sagten, und das Geld ebenfalls, und vor neun Tagen sind sie verschwunden, mitsamt dem Geld.«

»Und es gibt keine Spur«, sagte Davies.

»Wenn ich denke«, sagte Gwen, »wie oft die um Haaresbreite davongekommen sind.« Es fuchste sie, dass sie jetzt nie Bob Modale drüben in New York anrufen und ihm die Festnahme von John B. Allen und Mac Soundso beschreiben würde, aber darüber würde sie hinwegkommen. »Inspector«, sagte sie, »ich muss zu meinen chinesischen Sklaven zurück. Vielleicht kann ich wenigstens dort für ein Happy-End sorgen.«

TEIL VIER

EINS

Am Dienstag nachmittag wollte Parker die Nummer in Corpus Christi anrufen, die früher einmal Julius Norte gehört hatte, dem inzwischen verstorbenen Experten für Personalausweise. Hatte jemand anders sein Geschäft übernommen?

Nein; es war jetzt ein China-Restaurant. Und als er sich bei der Auskunft nach Nortes Tarnfirma erkundigte, einer Druckerei namens Poco Repro, gab es keinen entsprechenden Eintrag.

Also musste er wieder von vorn anfangen. Der Mann, von dem er Nortes Namen ursprünglich bekommen hatte, war ein ehemaliger Partner namens Ed Mackey, der keine Telefonnummer hatte, wohl aber Leute, bei denen man Nachrichten hinterlassen konnte. Parker benutzte den Namen Willis, den Mackey kennen würde, hinterließ die Nummer des Münztelefons der Tankstelle und sagte, dort sei er am Mittwoch vormittag um elf zu erreichen.

Zu diesem Zeitpunkt saß er sprungbereit im Auto, und als das Telefon klingelte, hob er ab, bevor es ein zweites Mal klingeln konnte. »Ja?«

»Hallo.« Es war Mackeys Stimme. »Ich nehme an, es geht dir gut.«

»Ganz gut, danke. Wie geht's Brenda?«

»Besser als ganz gut. Sie will, dass ich eine Zeitlang keine Reisen mache.«

»Darum geht's jetzt nicht. Erinnerst du dich an Julius Norte?«

»Drunten in Texas? Traurige Geschichte.«

»Ja. Was mich interessieren würde: Kennst du noch jemand in dieser Branche?«

»Zeit für eine neue Garderobe, hm?« Mackey kicherte. »Schön wär's, aber ich behelfe mich selbst mit den alten Klamotten.«

»War nur eine Frage.«

»Nein, warte. Lass mich herumfragen, vielleicht gibt es da doch jemand. Soll ich das machen, ein paar Bekannte fragen, und dich dann morgen nachmittag anrufen, wenn ich was habe?«

»Das wäre schön.«

»Wenn ich nichts finde, rufe ich nicht an.«

»Ja, ich weiß.«

»Passt dir drei Uhr?«

»Morgen um drei muss ich noch einen anderen Anruf erledigen. Also lieber Viertel vor drei.«

Mackey kicherte erneut und sagte: »Auf einmal redest du wie ein Anwalt. Ich hoffe, ich habe morgen einen Grund, dich anzurufen.«

»Danke.«

Am Donnerstag nachmittag hielt er ein paar Minuten zu früh an dem Pfostentelefon. Um Viertel vor drei klingelte das Telefon tatsächlich, und Mackey war dran. »Ich hab vielleicht was«, sagte er.

»Gut.«

»Es ist so eine Freund-von-einem-Freund-Geschichte, ich gebe also keine Garantie.«

»Verstehe.«

»Er sitzt außerhalb von Baltimore, und offiziell ist er Porträtmaler.«

»Okay.«

»Man ruft ihn an, weil man ein Bild von sich selbst oder Madame oder dem Hund oder dem Wellensittich braucht.«

»Mhm. Welchen Namen benutze ich?«

»Ach, bei ihm? Forbes hat ihn empfohlen, Paul Forbes.«

»Okay.«

»Ich sag dir seine Handynummer.« Mackey gab ihm die Nummer durch. »Er heißt – oder nennt sich – Kazimierz Robbins. Mit zwei B.«

»Kazimierz Robbins.«

»Ich kenne ihn nicht«, warnte ihn Mackey. »Hab nur gehört, dass er schon ein paar Jahre zugange ist und die Leute ihm anscheinend vertrauen.«

»Vielleicht tu ich's ja auch«, sagte Parker.

»Hal-lo.« Es war die Stimme eines alten Mannes, und er sprach mit einem starken Akzent, als würde er gleichzeitig reden und sich räuspern.

»Kazimierz Robbins?«

»Das bin ich.«

»Ein Freund hat mir gesagt, dass Sie Porträts anfertigen.«

»Von Zeit zu Zeit, ja, das mache ich, obwohl ich schon halb im Ruhestand bin. Welcher Freund hat Ihnen von mir erzählt?«

»Paul Forbes.«

»Ah. Sie wollen ein besonderes Porträt.«

»Ein sehr besonderes.«

»Besondere Porträts sind auch besonders teuer, wissen Sie.

Wird es ein Porträt von Ihnen selbst, von Ihrer Gattin oder von sonst jemand, der Ihnen nahesteht?«

»Von mir.«

»Ich müsste Sie mir ansehen.«

»Das ist mir klar.«

»Sind Sie in Baltimore?«

»Nein, weiter nördlich, aber ich kann hinkommen. Geben Sie mir die Adresse und sagen Sie eine Zeit.«

»Ich habe mein Atelier nicht zu Hause.«

»Okay.«

»Ich nutze das Tageslicht für meine Arbeit. Kunstlicht ist für realistische Malerei nicht geeignet.«

»Okay.«

»Diese Kleckser und Kritzler kümmern sich nicht um die Farbe. Ich aber schon.«

»Das ist gut.«

»Meine Beratungsgespräche finden also abends statt, damit sie mich nicht von der Arbeit abhalten. Zur Besprechung der Wünsche meiner Kunden kehre ich in mein Atelier zurück. Könnten Sie heute abend hierherkommen?«

»Morgen abend.«

»Das geht ebenfalls. Wäre Ihnen neun Uhr recht?«

»Ja.«

»Sehr gut. Und wenn Sie dann herkommen, Sir: Wie ist Ihr Name?«

»Willis.«

»Willis.« Es klang ein bisschen wie »Fillis«. »Dann werden wir Sie empfangen, Mr. Willis«, sagte er und nannte ihm die Adresse.

Fünf Minuten später rief Parker bei Cosmopolitan Beverages an und wurde zu Meany durchgestellt. »Mr. Albert hat gesagt, wenn ich mit einem Mistkerl wie Ihnen Geschäfte machen will, soll ihm das recht sein«, sagte Meany.

»Gut.«

»Der Preis ist akzeptabel, und die Einzelheiten der Lieferung besprechen wir noch.«

»Gut.«

»Eins vorher.«

»Das wäre?«

»Wir müssen sehen, was wir bekommen. Wir brauchen eine Musterlieferung.«

»Gern. Auch da gilt zehn zu eins.«

Meany schien zu zweifeln. »Das heißt?«

»Wir geben Ihnen zehn Kilo, Sie geben uns ein Kilo.«

Meany musste lachen. »Wunderbar, wie sehr wir uns gegenseitig vertrauen«, sagte er.

»Oder«, sagte Parker, »Sie geben mir einfach Ihr Bargeld und hoffen das Beste.«

»Nein, wir machen es auf Ihre Art. Wie wollen Sie das durchziehen?«

»Ich bin die nächsten zwei Tage beschäftigt«, sagte Parker. »Ein Mann, den ich kenne, wird anrufen und die Übergabe mit Ihnen besprechen.«

»Wahrscheinlich habe ich diesen Mann schon mal gesehen.«

»Vielleicht.«

»In einem roten Pick-up?«

Parker sagte nichts.

»Okay«, sagte Meany. »Dieser Mann wird mich anrufen. Wie heißt er?«

Parker überlegte. »Red«, sagte er.

»Red. Gefällt mir. Man kommt besser mit Ihnen klar, wenn Sie nichts beweisen wollen.«

»Red wird Sie anrufen.«

Parker hängte ein, wählte McWhitneys Bar, bekam ihn dran, sagte: »Ich bin an einem Münztelefon« und las ihm die Nummer vor. Dann hängte er ein.

Es dauerte fünf Minuten, bis das Telefon klingelte. Parker nahm ab, spulte sofort Meanys Namen und Telefonnummer herunter und sagte dann: »Zehn Tausender für einen. Die brauchen ein Muster, ich bin beschäftigt, also handel du die Übergabe aus. Du heißt Red.« Als er einhängte, hatte McWhitney kein einziges Wort gesagt.

ZWEI

Bevor der Überfall auf den Geldtransport in Massachusetts aus dem Ruder gelaufen war, hatte Parker saubere Papiere unter zwei verschiedenen Namen besessen, Papiere, die für jede normale Kontrolle gut genug waren. Nach dem Überfall waren diese wertvollen Dokumente unbrauchbar geworden, wodurch es ihm seither erheblich erschwert war, sich von A nach B zu begeben. Diesem Problem musste er sich jetzt widmen, um wieder normal agieren zu können.

Wie problematisch die fehlenden Papiere waren, zeigte sich jetzt darin, dass Claire ihn am Freitag nachmittag nach Maryland fahren musste. Ohne Führerschein und ohne Kreditkarten konnte er keinen Wagen mieten, und wenn er sich ihren ausborgte und selbst fuhr und dann etwas schiefging, hätte das auch ihre Identität unbrauchbar gemacht.

Am frühen Freitag abend stiegen sie in einem Motel nördlich von Baltimore ab und aßen früh zu Abend, und dann fuhr sie ihn zu Robbins' Adresse in der Front Street in einer sehr kleinen Stadt namens Vista in der Nähe des Gunpowder Falls State Park. Sie waren etliche Kilometer auf einer gewundenen Straße bergauf gefahren, aber es war zu dunkel, um eine etwaige schöne Aussicht zu genießen.

Die Stadt machte nicht viel her: eine Kreuzung, eine Kirche, eine Feuerwache und ein halbes Dutzend Geschäfte, von denen zwei dichtgemacht hatten. Robbins' Gebäude in dieser Ladenzeile, zweigeschossig und schmal, mit zwei großen Schaufenstern beiderseits der Glastür, hatte über den Fenstern noch ein hölzernes Ladenschild mit der Aufschrift VISTA – HAUSHALTSWAREN. Der Innenraum war hell erleuchtet, aber schon seit langem kein Haushaltswarenladen mehr.

Parker sagte: »Kommst du mit rein, oder wartest du lieber?«
»Es ist einfacher, wenn ich warte.«

Sie hatte am Bordstein vor dem Laden geparkt – das einzige hier abgestellte Auto. Als Parker auf den unebenen, mit Schieferplatten belegten Bürgersteig trat, sah er, dass das Innere des Gebäudes jetzt eine Art Galerie war, ein hoher Raum mit großformatigen Gemälden an beiden weißgetünchten Seitenwänden. In der Mitte stand eine große Staffelei mit einer ansehnlichen Leinwand darauf, quer zu den Fenstern, so dass man das Bild nicht sah. Vor der Leinwand, zu ihr hingeneigt, in der rechten Hand einen Pinsel, stand ein Mann, bei dem es sich um Robbins handeln musste, eine hohe, schlanke Gestalt in Schwarz, die mit erhobenem Kopf ihre Arbeit betrachtete. Die schmale, eckige dunkle Figur in dem hellerleuchteten Raum erinnerte an eine Gottesanbeterin.

Parker klopfte mit dem Knöchel an die Glastür. Der Maler schaute zu ihm her, tippte sich zum Gruß mit dem Griff des Pinsels an die Stirn, legte den Pinsel auf die Schale unter der Leinwand und kam herüber, schloss auf und öffnete die Tür. Sein Gang wirkte mühsam, ein wenig schief und verrenkt, doch das war er sicher schon seit längerer Zeit, denn er selbst schien es gar nicht zu merken.

Er zog die Tür weit auf, mit einem freundlichen, aber vorsichtigen Ausdruck auf dem ledrigen Gesicht, und fragte: »Mr. Willis?«

»Im Moment, ja.«

Er lächelte. »Ah, sehr gut. Treten Sie ein.« Dann sagte er mit einem Blick an Parker vorbei: »Ihre Begleiterin möchte sich nicht zu uns gesellen?«

»Nein, Sie möchte uns nicht ablenken.«

»Sehr klug. Ich finde alle schönen Frauen ablenkend.« Er schloss die Tür und sagte: »Sie ziehen es wahrscheinlich vor, mich Robbins zu nennen. Kazimierz ist für einen Amerikaner nicht leicht auszusprechen.« Er wies in den hinteren Teil des Raumes, wo zwei Sessel und kleine Tischchen eine Art Wohnzimmer – oder eine Wohnzimmerdekoration – bildeten.

Während sie über die alten breiten Kiefernholzdielen durch den langen Raum nach hinten gingen, fragte Parker: »Warum haben Sie Ihren Vornamen nicht geändert?«

»Eitelkeit«, sagte Robbins und bot Parker einen Platz an. »Es gibt viele, die Robbins heißen oder meinen ursprünglichen Namen Rudzik tragen, aber Kazimierz, das bin seit meiner frühesten Kindheit ich selbst.« Er setzte sich ebenfalls und beugte sich vor, stützte die Hände auf die Knie, sah Parker forschend an und sagte: »Sagen Sie mir, was Sie sagen können.«

»Ich habe keinen Ausweis mehr«, sagte Parker, »der vor der Polizei sicher ist.«

»Fingerabdrücke?«

»Wenn wir bei Fingerabdrücken sind, ist es schon zu spät«, sagte Parker. »Ich brauche Papiere, die mich davor bewahren, dass es soweit kommt.«

»Und wie sicher müssen sie sein?« Er wackelte leicht mit dem Finger und sagte: »Ich meine: Sie brauchen vermutlich mehr als einen simplen gefälschten Führerschein.«

»Ich will auch einen Polizeicomputer überleben«, sagte Parker. »Ich habe keinen Pass; ich brauche einen.«

»Einen legalen Pass.«

»Alles legal.«

Robbins lehnte sich zurück. »Nichts ist unmöglich«, sagte er. »Aber alles ist teuer.«

»Ich weiß.«

»Wir reden hier über rund zweihunderttausend Dollar.«

»Mit der Größenordnung habe ich gerechnet.«

Robbins musterte ihn mit hochgezogener Augenbraue. »Die Summe erschreckt Sie nicht.«

»Nein. Wenn Sie den Job erledigen, ist es mir das wert.«

»Ich würde die Hälfte im voraus brauchen. Natürlich in bar. Alles in bar. Bis wann könnten Sie das Geld beschaffen?«

»Ich hab's mitgebracht, im Auto.«

Robbins lachte überrascht. »Sie meinen es tatsächlich ernst!«

»Ich meine es immer ernst«, sagte Parker. »Aber jetzt erzählen Sie mir bitte, wie Sie es machen wollen.«

»Natürlich.« Robbins überlegte ein Weilchen und ließ dabei den Blick durch sein Atelier wandern. Die Gemälde an den Wänden, immer drei oder vier übereinander, waren allesamt Porträts, manche von bekannten Gesichtern, von John F. Kennedy bis Julia Roberts, manche von unbekannten, aber interessanten Gesichtern. Über allen hing so etwas wie ein dunkler Schleier, so als läge in den Farben eine Art Düsternis.

Schließlich nickte Robbins und sagte: »Sie wissen, dass ich aus dem Osten komme.«

»Ja.«

»Ich habe dort Arbeit dieser Art für Behörden erledigt«, sagte er. »Viele Jahre lang. Falsche Identitäten, falsche Papiere. Es gab damals sehr viel Arbeit dieser Art.«

»Sicher.«

»Ich kann mir vorstellen, dass es auch in diesem Land viel

Arbeit dieser Art gibt«, sagte Robbins und breitete in fatalistischer Ergebenheit die Hände aus. »Aber ich bin Ausländer, mir kann man nicht allzusehr trauen. Und ich bin sicher, dass es auch Amerikaner gibt, die Arbeiten dieser Art erledigen können.«

»Sicher.«

»Ich habe immer noch viele Kontakte zu meinen früheren Geschäftsfreunden, und ich fahre sogar zwei- oder dreimal pro Jahr in den Osten. Wenn ein so vollständiger Wechsel, wie Sie ihn brauchen, erforderlich ist, sind mir meine alten Freunde oft behilflich.«

»Gut.«

»Ja.« Robbins beugte sich vor. »Als mein Teil der Welt das Paradies der Arbeiterklasse war«, sagte er, »war die Säuglingssterblichkeit bedauerlicherweise höher, als man es sich wünschen würde. An viele Kinder, die um dieselbe Zeit geboren sind wie Sie, erinnert nur noch eine Geburtsurkunde und ein kleines Grab.«

»Verstehe.«

»Wir beginnen mit einer solchen Geburtsurkunde«, fuhr Robbins fort. »Um Ihren fehlenden Akzent zu erklären, legen wir Dokumente darüber vor, dass Ihre Familie ausgewandert ist, am besten nach Kanada, als Sie noch nicht älter als dreizehn waren. Kennen Sie jemand in Kanada?«

»Nein.«

»Pech.« Robbins schüttelte den Kopf angesichts dieser Komplikation. »Es ist nämlich so«, sagte er, »dass Sie erst vor kurzem ins Land gekommen sind und deshalb jetzt erst eine Sozialversicherungskarte beantragen.«

Parker überlegte. »Ich war mal Repräsentant einer amerikanischen Firma in Kanada«, behauptete er.

»Das kriegen Sie hin?«

»Ja. Ich muss den Mann nur anrufen und Bescheid sagen, weiter nichts.«

»Gut. Haben Sie einen Anwalt, dem Sie vertrauen können?«

»Den finde ich.«

»Ich nehme an«, sagte Robbins, »Sie haben Ihren Namen vor vielen Jahren geändert, als Sie nach Kanada gekommen sind. Wegen Ihrer Klassenkameraden, wissen Sie. Aber nie offiziell. Deshalb werden Sie jetzt, wo Sie in den Vereinigten Staaten sind, als erstes zum Gericht gehen und Ihren Namen ganz offiziell ändern lassen, von dem, was in dieser Geburtsurkunde steht, in irgend etwas anderes, was Ihnen besser gefällt als Mr. Willis.«

»Zum Gericht gehen«, sagte Parker.

»Wenn wir Sie legitimieren wollen«, sagte Robbins, »müssen wir so viele legitime Mittel wie möglich einsetzen. In welchem Staat leben Sie?«

»New Jersey.«

»Die führen da oft Namensänderungen durch«, versicherte ihm Robbins. »Das wird kein Problem sein. Mit Ihrer Geburtsurkunde und Ihrer gerichtlich verfügten Namensänderung beantragen Sie dann Ihre Sozialversicherungskarte. Von da an gibt es keine Fragen mehr. Sie sind, wer Sie sagen, dass Sie sind.«

»Das klingt richtig einfach«, sagte Parker.

»Ist es trotzdem nicht.« Robbins' Lächeln wurde frostig. Er nahm einen Schreibblock und einen Kugelschreiber von dem Tischchen neben sich und fragte: »Ihr Arbeitgeber, als Sie in Kanada lebten?«

»Cosmopolitan Beverages. Die sitzen in Bayonne, New Jersey.«

»Und der Mann dort, mit dem ich sprechen muss? Um Dokumente über Ihre Tätigkeit als Angestellter zu bekommen, verstehen Sie?«

»Frank Meany.«

»Haben Sie seine E-Mail-Adresse?«

»Nein, aber seine Telefonnummer.«

»Das geht auch.«

Parker nannte ihm die Nummer, und während Robbins sie notierte, sagte er: »E-Mail hat den Vorteil, wissen Sie, dass man keinen Akzent hört. Jetzt fehlen nur noch drei Dinge: das Geld, ich muss ein Foto von Ihnen machen, und Sie müssen mir sagen, für welchen Namen Sie sich entschieden haben.«

»Ich hol das Geld rein«, sagte Parker und ging hinaus. Claire ließ das Fenster auf der Beifahrerseite herunter, er beugte sich hinein und sagte: »Das geht in Ordnung. Gefällt uns der Name noch?«

»Mir schon. Brauchst du das Geld aus dem Kofferraum?«

»Ja.«

Er öffnete den Kofferraum, hob die Reisetasche heraus, die er mitgebracht hatte, und trug sie hinein, Robbins stand inzwischen an einem Refektoriumstisch an der rechten Wand, unter Porträts von Kofi Annan und Clint Eastwood. Auf allen Bildern waren die Augen der Porträtierten genauso wachsam wie die von Robbins.

Er schien sich über die Reisetasche zu amüsieren. »Im allgemeinen«, sagte er, »tragen Leute, die große Mengen Bargeld transportieren, Aktenkoffer bei sich.«

»Das Geld ist hier drin auch nicht schlechter.«

»Oh, da bin ich ganz sicher.«

Unter dem Tisch holte Robbins einen Pappkarton hervor,

der ursprünglich Weißwein aus Neuseeland enthalten hatte. »Und hier drin wird es auch nicht schlechter werden«, sagte er.

Parker fing an, die Geldscheinbündel aus der Tasche zu nehmen. Sie zählten beide lautlos mit.

DREI

Als Parker am Montag nachmittag auf der Interstate 80 durch New Jersey fuhr, überholte er ein Auto mit einem Aufkleber, auf dem FAHR IHN, ALS HÄTTEST DU IHN GEKLAUT stand, und genau das tat er gerade. Bei langen Fahrten wie letztes Wochenende nach Maryland hinunter wäre es für ihn zu riskant gewesen, selbst zu fahren, aber die hundert Kilometer von Claires Wohnort bis nach Bayonne konnten eigentlich kein Problem sein. Er hielt sich immer bei drei Kilometern über der zulässigen Höchstgeschwindigkeit, ließ die meisten anderen vorbeirauschen und blieb buchstäblich unterhalb des Radars.

Um zu Cosmopolitan Beverages zu gelangen, musste er kurz vor dem Holland Tunnel von den Interstates nach Süden und zum »Port of New York« fahren, der immer noch so genannt wurde, obwohl sich im Zuge der Umstellung auf Container praktisch der ganze Hafenbetrieb auf die Jersey-Seite der Bucht verlagert hatte, nach Newark, Elizabeth, Jersey City und Bayonne.

Bayonne, das am Südostrand des nördlichen Teils von New Jersey und mit seiner Südspitze so nahe an Staten Island liegt, dass eine Brücke hinüberführt, ist vor den schlimmsten Unbilden des Atlantikwetters geschützt und weit genug von den meistbefahrenen Schiffahrtsrouten entfernt. Hier hatte der legale Teil von Cosmopolitan Beverages seinen Sitz, in einem reinen Industriegebiet, umgeben von Piers, Lagerhäusern, Benzintanks, Eisenbahnschienen, Maschendrahtzäunen und Wachhäuschen. Auf den Straßen waren hier vor allem große Sattelschlepper unterwegs, und die meisten von ihnen beförderten die großen Metallcontainer, die diesen Hafen erst möglich gemacht hatten.

Inmitten von alledem, auf einer Betoninsel, deren Frostaufbrüche notdürftig mit Asphalt geflickt worden waren, stand ganz allein ein breites, dreigeschossiges Backsteingebäude, das vor langer Zeit einmal in einem stumpfen Grau gestrichen worden war. Auf dem Dach prangte in schrillem Kontrast eine Neonreklame mit dem schwungvollen Schriftzug COSMO-POLITAN in Rot und Gold, darunter das Wort BEVERAGES in kleineren roten Blockbuchstaben.

Ein Maschendrahtzaun erstreckte sich über die Beton-und-Asphalt-Fläche vor dem Gebäude und reichte auf beiden Seiten nach hinten bis an die Piers und die Upper New York Bay. Die Tore an beiden vorderen Ecken des Zaunes waren offen und unbewacht; das linke führte auf einen fast vollen Parkplatz neben dem Gebäude, das rechte auf einen kleineren Platz, auf dem im Moment nur zwei Autos standen. Ein Schild am Zaun nicht weit vom Tor wies ihn als BESUCHERPARK-PLATZ aus.

Parker parkte den Toyota neben den anderen Besucherautos und ging auf einem betonierten Weg an der Vorderseite des Gebäudes entlang zu dem Eingang mit der Drehtür. Drinnen gab es einen großzügigen Empfangsbereich, in dem nichts außer einer großen, niedrigen schwarzen Theke auf dem glänzendschwarzen Fußboden stand. Firmen mit Verbindungen zur Unterwelt versuchen, sich als normale Firmen zu tarnen, geben sich aber keine große Mühe damit. Hier war niemand auf den Gedanken gekommen, im Empfangsbereich Sitzgelegenheiten für Besucher aufzustellen – so etwas interessierte hier keinen Menschen.

Die Wand hinter der Empfangstheke war gewölbt und silbern, was einen Raumschiffeffekt erzeugte. An ihr befestigt waren Flaschen der verschiedenen alkoholischen Getränke, die die Firma importierte, jede in einer eigenen Box aus durchsichtigem Kunststoff, daneben jeweils die Weihnachtsgeschenkbox der betreffenden Marke.

Der Mann hinter der Theke war nicht mehr derselbe wie bei Parkers letztem Besuch vor ein paar Jahren, aber vom gleichen Schlag: in den Dreißigern, träge, uninteressiert. Das einzig Professionelle an ihm war sein Firmenblazer – kastanienbraun mit dem Logo CB in verschnörkelten Lettern auf der Brusttasche. Er las in einem *Maxim*-Heft und blickte nicht auf, als Parker auf die Theke zuging.

Parker wartete, schaute auf ihn hinab und klopfte schließlich mit dem Knöchel auf die glänzendschwarze Platte der Theke. Der Typ hob langsam den Kopf, als erwachte er aus dem Schlaf. »Ja?«

»Frank Meany. Sagen Sie ihm, Parker ist da.«

»Der ist heute nicht im Haus«, sagte der Mann und schaute wieder in seine Zeitschrift.

Parker nahm dem Mann das Heft aus der Hand und warf es hinter sich. »Sagen Sie ihm, Parker ist da.«

Der erste Impuls des Mannes war, aufzuspringen und eine Schlägerei anzufangen, doch sein zweiter, gesünderer Impuls war, Vorsicht walten zu lassen. Er kannte diesen Blödmann nicht, der gerade hereingekommen war und ihm die Zeitschrift aus der Hand gerissen hatte, also wusste er auch nicht, welchen Platz in der Hackordnung er einnahm. Er wusste, dass er selbst nur ein kleines Rädchen im großen Weltgetriebe war, jemandes Neffe, der diesen »Job« abreißen musste, bis seine Bewährungszeit zu Ende war. Also war es vielleicht am besten, nicht beleidigt zu sein, sondern zu zeigen, dass er über der Sache stand.

Mit gelangweilter Miene sagte er: »Sie können mir meine Zeitschrift zurückbringen, während ich telefoniere.«

»Klar.«

Der Mann drehte sich zu seiner Telefonanlage um und sprach leise mit jemandem. Parker ließ ihn nicht aus den Augen. Als er auflegte, war er deutlich schlecht gelaunt, weil er jetzt wusste, dass Parker irgendwo über ihm stand. »Sie wollten mir meine Zeitschrift bringen«, sagte er.

»Hab ich vergessen.«

Verärgert stand der Mann auf, um die Zeitschrift selbst zu holen, als am äußersten rechten Ende der Silberwand eine silberne Tür aufging und ein anderer Mann in einem Firmenblazer herauskam. Er war älter und schwerer und wirkte eine Spur geschäftsmäßiger. Er hielt die Tür auf und sagte: »Mr. Parker?«

»Stimmt.«

Parker folgte ihm durch die silberne Tür in eine andere Welt. Hinter dem Empfangsbereich war das Gebäude ein ganz gewöhnliches Lagerhaus, lang und breit, Betonfußboden, Paletten mit Getränkekartons fast bis an die grellen Neonröhren unter der drei Meter hohen Decke. Der Lärm der Maschinen, Gabelstapler und Kräne war so ohrenbetäubend, dass kein normales Gespräch möglich gewesen wäre.

Parker folgte seinem Führer zu Meanys Büro, das rechts hinten lag, ein großer Raum, aber nicht protzig. Der Führer hielt Parker die Tür auf und schloss sie hinter ihm, während

Meany von seinem massiven Schreibtisch aufstand und sagte: »Ich wusste nicht, dass Sie kommen. Nehmen Sie bitte da Platz.«

Es war ein schwarzer Ledersessel rechts vom Schreibtisch. Parker ging hin, und Meany setzte sich wieder in seinen Schreibtischsessel. Keiner reichte dem anderen die Hand.

Meany fragte: »Was kann ich heute für Sie tun?«

»Das Muster hat Sie überzeugt.«

»Schönes Geld«, sagte Meany. »Zu schade, dass es radioaktiv ist.«

»Wollen Sie immer noch den Rest kaufen?«

»Wenn wir uns über die Lieferbedingungen einig werden«, sagte Meany. »Ich habe keinen Grund, Ihnen mehr zu trauen als Sie mir.«

»Sie könnten uns einen Grund liefern, einander mehr zu trauen«, sagte Parker.

Meany musterte ihn scharf. »Ist das was Neues?«

»Ja. Bei der Beschaffung von dem Geld ist etwas schiefgelaufen.«

Meanys Lächeln war dünn, aber ehrlich amüsiert. »Das war mir schon klar«, sagte er.

»Am Schluss«, sagte Parker, »waren meine Papiere genauso radioaktiv wie das Geld.«

»Zu dumm«, sagte Meany ohne Mitgefühl. »Also können Sie sich jetzt nicht mal mehr einer normalen Verkehrskontrolle unterziehen, stimmt's?«

»Ich kann überhaupt nichts tun«, sagte Parker. »Ich brauche eine komplette neue Garnitur.«

»Warum erzählen Sie das mir?«

»Seit vielen Jahren«, sagte Parker, »arbeite ich jetzt für Ihre Niederlassung in Kanada.«

Meany lehnte sich zurück, bereit, die Show zu genießen. »Ach ja? Das waren Sie?«

»Ein Mann namens Robbins wird Sie anrufen und nach ein paar Unterlagen über meine Anstellung bei Ihnen fragen. Ich weiß, dass Sie solche Sachen machen, Sie beschäftigen illegale junge Einwanderer, Sie haben diverse Leute, von denen Ihre Personalabteilung nichts weiß.«

»Leute kommen ins Land, Leute verlassen das Land«, sagte Meany achselzuckend. »Das ist eine Dienstleistung, die wir übernehmen. Die müssen nur eine plausible Story haben.«

»Genau wie ich.«

Meany schüttelte den Kopf. »Parker«, sagte er, »warum um alles in der Welt sollte ich *Ihnen* einen Gefallen tun?«

»Zehn Dollar für einen.«

Meany schaute gekränkt. »Das ist unsere Abmachung.«

»Und das ist der Finderlohn«, sagte Parker, »die Provision dafür, dass ich Ihnen zu diesem Geschäft verholfen habe.«

Meany lehnte sich in seinem Sessel zurück und verschränkte die Hände über seiner Brust. »Und wenn ich Ihnen sage, Sie sollen sich ins Knie ficken?«

»Sagen Sie mir«, sagte Parker, »glauben Sie, dass hier außer Ihnen noch jemand im Export tätig ist?«

»Sie meinen, Sie würden sich nicht an unseren Deal halten.«

»Es gibt keinen Deal«, sagte Parker. »Hat nie einen gegeben, nirgends. Ein Deal ist das, was nach Aussage der Beteiligten passieren wird. Aber nicht immer das, was tatsächlich passiert.«

»Sie meinen, wir haben das nicht mit Handschlag besiegelt? Wir haben nichts schriftlich gemacht.«

»Nein, ich meine, bis jetzt ist es noch nicht passiert. Wenn es passiert, schön und gut. Wenn nicht, mache ich den Deal mit jemand anders, und da ist es dasselbe in Grün. Entweder es passiert, oder es passiert nicht.«

»Mann Gottes, Parker«, sagte Meany kopfschüttelnd. »Ich hätte nie gedacht, dass ich das einmal sagen würde, aber mit Ihnen kommt man besser klar, wenn Sie eine Waffe in der Hand halten.«

»Eine Waffe trägt nur manchmal dazu bei, dass etwas passiert.«

»Eins kapier ich nicht«, sagte Meany. »Wieso soll dieser Finderlohn, wie Sie ihn nennen, uns einen Grund geben, uns gegenseitig zu trauen? Das haben Sie doch gesagt, oder?«

»Sie werden meinen neuen offiziellen Namen kennen«, erklärte Parker. »Und wissen, wie ich ihn bekommen habe. Dann sind wir uns also gegenseitig nützlich gewesen, und deshalb trauen wir einander ein bisschen mehr. Und ich weiß, falls Sie einmal zu dem Schluss kommen, dass Sie mich nicht mögen, können Sie mich ruinieren.«

»Ich mag Sie jetzt schon nicht.«

»Damit werden wir leben müssen«, sagte Parker.

Meany schüttelte ärgerlich den Kopf, dann nahm er Notizblock und Stift. »Der Typ, der mich anrufen wird, heißt Robbins?«

»Kazimierz Robbins.«

Meany schaute auf seinen Block. »Robbins reicht«, entschied er.

Während Meany schrieb, sagte Parker: »Die andere Sache ist die Geldübergabe.«

Meany legte den Stift hin. »Sie würden es wohl nicht einfach hierherbringen wollen?«

»Nein. Morgen, um ein Uhr mittags, fährt einer Ihrer Jungs

mit den kastanienbraunen Sakkos in Orient Point an der Nord-ostspitze von Long Island auf die Fähre über den Sound nach New London in Connecticut. Er hat unser Geld in Schachteln oder Taschen oder was immer dabei. Auf der Fähre steigt er aus dem Wagen, und einer von uns steigt ein. Geschieht das nicht, fährt er runter, dreht um und nimmt die nächste Fähre zurück. Irgendwann werden wir den Wagen übernehmen. Er bleibt auf der Fähre, während sie hin- und herfährt, und nach einer Weile kommt der Wagen mit dem Geld für Sie drin zu-rück, er nimmt es und fährt davon.«

»Und was«, wollte Meany wissen, »wenn der Wagen nicht zurückkommt? Dann haben Sie unser Geld, aber wir haben Ihres nicht.«

»Werden Sie mir dann noch helfen, meine neue Identität zu bekommen? Verstehen Sie?« Parker breitete die Hände aus. »So bauen wir gegenseitiges Vertrauen auf«, sagte er.

VIER

Auf der Rückfahrt zu Claire hielt Parker an der üblichen Tankstelle und rief McWhitney in seiner Bar an, und als er sich meldete, sagte Parker: »Ich bin in einer Telefonzelle.« Als McWhitney fünf Minuten später anrief, sagte Parker: »Es hat funktioniert mit Meany.«

»Die Übergabe auf der Fähre? Keine Haken?«

»Nichts, was der Rede wert wäre. Ich lasse mich morgen früh von Claire in die Stadt fahren und komme dann mit dem Zug zu dir raus.«

»Wird das nicht langsam lästig?«

»Doch. An dem Problem arbeite ich auch. Ich hab Meany gesagt, dass wir die Übergabe so gegen eins machen. Du rufst Sandra an.«

»Wozu brauchen wir die?«

»Meany kennt sie nicht. Wenn sie doch was probieren, könnte sie nützlich sein.«

»Also gut. Wahrscheinlich hast du recht.«

»Sie kann sich ihre Hälfte von Nicks Anteil ruhig verdienen. Sie kann nach Orient Point kommen und dieselbe Fähre nehmen wie wir, uns aber ignorieren.«

»Dann bis morgen früh«, sagte McWhitney und legte auf.

Am Colliver's Pond angekommen, dem See, an dem Claires Haus lag, fuhr er bei ihr vorbei und noch anderthalb Kilometer um den See herum zu einem Ferienhaus, in dem er etwas gebunkert hatte. Über die Hälfte des Geldes aus der Reisetasche von dem Einbruch in der Rennbahn war schon ausgegeben.

Mit einem grünen Rollkoffer neben sich auf dem Vordersitz fuhr er zu Claires Haus zurück, und als er in die Einfahrt einbog, kam sie an die Haustür und machte ihm ein Zeichen, das Auto nicht in die Garage zu stellen. Er ließ sein Fenster herunter, und sie sagte: »Ich hab schon gewartet, ich brauche das Auto dringend. Ich muss ein paar Einkäufe machen.«

»Gott sei Dank ist jetzt bald Schluss mit diesem Mist«, sagte er und stieg aus dem Toyota.

»Ich weiß. Mach dir deswegen keine Sorgen.«

Er trug den Rollkoffer durchs Haus in die Garage, hatte dann keine Lust, im Haus zu bleiben, und ging hintenherum ans Wasser. Auf dem Betonsteg neben dem Bootshaus standen zwei Adirondack-Stühle. Er setzte sich und schaute auf den See hinaus. Kein Mensch weit und breit. Vor drei Monaten hatte es in der ganzen Gegend noch von Urlaubern gewimmelt, aber jetzt waren nur noch die wenigen Dauerbewohner da, und die waren alle in ihren Häusern.

Die starke Bö, die den See aufrauhte und an ihm vorbeiwehte, war schon fast eisig. Es war fünf Uhr vorbei an diesem Tag Anfang November, und das Licht schwand zusehends. Sobald diese beiden Probleme erledigt waren, das Geld und die neue Identität, würde es höchste Zeit sein, irgendwohin in den Süden zu fahren.

Er hörte das Auto nicht zurückkommen, aber er hörte, wie das Garagentor aufging, und stand auf, um hineinzugehen, beim Auspacken der Lebensmittel zu helfen und sich dann ins Wohnzimmer zu setzen, während sie in ihr Büro ging, um ihre

Nachrichten abzuhören. Am Abend würden sie essen gehen; wenn sie zurückkam, würden sie beschließen, wohin.

Doch als sie ins Wohnzimmer kam, machte sie ein besorgtes Gesicht. »Eine ist für dich.«

Es war McWhitney. »Abend, Mr. Willis. Ich hoffe, ich störe Sie nicht. Hier spricht Nelson, der Barkeeper aus dem McW, und ich muss Ihnen leider mitteilen, dass Sie Ihren Aktenkoffer hier vergessen haben. Ihr Freund Sid hat ihn gefunden und mir übergeben. Er will keinen Finderlohn oder so etwas, aber er und ein paar von seinen Freunden warten draußen, um sich zu überzeugen, dass alles in Ordnung ist. Ich hoffe, bald von Ihnen zu hören. Hoffentlich war da nichts Wertvolles drin.«

FÜNF

Parker hatte die Nase voll. Aber er wusste, dass das genau die Art Situation war, die aus einem wütenden Mann einen ungeduldigen, aus einem ungeduldigen einen unvorsichtigen und aus einem unvorsichtigen einen Sträfling machte.

»Tut mir leid«, sagte er, »aber ich muss dich bitten, mich in die Stadt zu fahren.«

Sie sah ihn fragend an. »Aber das ist doch dort, wo wir schon mal hingefahren sind, oder? Wo ich Sandra kennengelernt habe.«

»Richtig.«

»Aber das ist draußen auf Long Island.«

»Ich nehm den Zug.«

»Auf keinen Fall«, sagte sie. »Komm, fahren wir.«

»Einen Moment noch«, sagte er und ging in die Speisekammer, wo er eine unangebrochene Packung Bisquick von einem Regalbrett nahm. Er drehte sie um – der Boden war geöffnet und wieder verschlossen worden. Er ließ ihn aufklappen und schüttelte eine in ein Fensterleder gewickelte Beretta Bobcat heraus, die siebenschüssige, 350 Gramm schwere handliche Automatikpistole Kaliber .22. Er steckte die Waffe in seine rechte Hosentasche, tat dann das Fensterleder wieder in die Schachtel und stellte die Schachtel ins Regal zurück.

Claire hatte ihren langen Mantel angezogen und stand an der Tür zwischen Küche und Garage. Parker wählte einen weiten dunklen Mantel mit großen Taschen und verstaute die Bobcat in einer davon. »Fertig.«

Auf dem Weg zum Auto sagte sie: »Du kannst mir ja unterwegs erzählen, was los ist.«

»Mach ich.«

Er wartete, bis sie ein Stück vom Haus weg waren, und sagte: »Es geht darum, dass wir etwas mit diesem Geld machen müssen.«

»Hast du mir gesagt. Übersee und so.«

»Ja, stimmt. Nels hat auf eigene Faust mit einem Bekannten geredet, der das vielleicht arrangieren könnte, aber Nels hat ihn nicht so gut gekannt, wie er dachte.«

»Ist das dieser Sid?«

»Du meinst die Nachricht auf dem Anrufbeantworter. Der Mann heißt Oscar Sidd. Ich hab ihn nie gesehen, aber man hat ihn mir beschrieben. Dieser Oscar Sidd ist dann Nels heimlich nachgefahren, als der nach Neuengland raufgefahren ist, um das Geld zu holen.«

»Weil er gedacht hat, er kann es sich vielleicht unter den Nagel reißen.«

»Genau. Sandra hat ihn beobachtet und ihn aus dem Verkehr gezogen.«

»Aber jetzt ist er wieder da«, sagte Claire.

»Er muss wissen, dass das Geld irgendwo in Nels' Nähe ist. Nels hat mir praktisch mitgeteilt, dass Oscar Sidd mit ein paar Freunden oder gekauften Schlägern draußen vor der Bar ist. Um kein Aufsehen zu machen, wartet er, bis die Gäste alle gegangen sind. Dann werden sie reingehen und Nels fragen, wo er das Geld hat. Und sie haben jede Menge Zeit, ihn zu fragen.«

Claire nickte und schaute auf die Straße. Es war jetzt ganz

dunkel, die entgegenkommenden Fahrzeuge blendeten ab. »Wann werden die letzten Gäste gehen?«

»An einem Montag abend im November? Spätestens um neun.«

Sie schaute auf die Uhr im Armaturenbrett. »Es ist halb sechs.«

»Das schaffen wir.«

»Nicht, wenn du den Zug nimmst.«

»Nels wird sie schon noch eine Zeitlang hinhalten. Ganz so plötzlich passiert das nicht.«

»Deswegen fahre ich dich hin.«

»Aber in die Bar darfst du nicht mitkommen, heute nicht. Auch nicht in die Nähe. Du setzt mich einen Block davor ab.«

»Gut. So machen wir's.«

»Und warte nicht auf mich. Nels und ich wollten ohnehin morgen die Geldübergabe durchziehen. Du lässt mich einfach aussteigen und fährst wieder zurück.«

»Vielleicht bleibe ich in der Stadt, esse was und geh in eine Spätvorstellung.«

»Gute Idee.«

»Und falls irgendwas sein sollte, ruf mich auf dem Handy an.« Sie sah ihn kurz an. »Versprochen?«

»Klar«, sagte er.

SECHS

Um fünf nach halb neun an diesem Montag abend war das McW das einzige Etablissement an dieser kleinen Geschäftsstraße in Bay Shore, in dem noch Licht brannte. Parker ging den einen Block bis zu der Bar und sah ein halbes Dutzend geparkte Autos auf beiden Seiten, darunter, schräg gegenüber dem McW, ein schwarzer Chevy Tahoe, der in einiger Entfernung von den nächsten beiden Straßenlaternen stand. In dem Tahoe saßen mehrere Leute, aber wie viele, war nicht zu erkennen.

Die simpelste Reaktion auf das anstehende Problem – und den Ärger – wäre gewesen, hinüberzugehen und die Bobcat sprechen zu lassen, angefangen beim Fahrer. Aber es war besser, noch zu warten, es langsam anzugehen.

Zum einen würden die Leute in dem Tahoe wahrscheinlich nicht tatenlos zusehen, wie einer mit der Hand in der Tasche über die Straße auf sie zukam. Außerdem wusste er nicht, wie die Lage in der Bar im Augenblick war. Deshalb schaute er kaum zu dem Tahoe hinüber, sondern ging, beide Hände in den Taschen, einfach weiter und betrat dann das McW.

Außer McWhitney waren noch vier Männer in der Bar. Auf zwei Hockern im hinteren Teil saßen zwei Typen um die Vierzig mit Baseballmützen, offenen Kunstlederjacken, ausgebeulten, mit Gipspulver verschmierten Jeans und mit Farbe bekleckerten Arbeitsschuhen – Bauarbeiter, die seit Feierabend hier saßen und sich das eine oder andere Bier zuviel genehmigt hatten, danach zu urteilen, wie sie in Zeitlupe redeten, ihr Glas hoben und mit dem Kopf nickten.

Etwas weiter vorn am Tresen saß ein älterer Mann mit einem Filzhut und einem hellgrauen Mantel über einem dunklen Anzug; unter seinem Hocker lag schlafend ein kleiner schwarzweiß gesprenkelter Hund, und er selbst nippte ab und zu an einem bronzefarbenen Mixgetränk in einem kurzen, gedrungenen Glas, während er gemächlich die *New York Sun* las – ein Mann, der seinen Hund ausführte und irgendwie die Zeit totschlagen musste.

Auf der anderen Seite schließlich, in einer Nische ganz vorn, der Tür gegenüber, saß ein massiger Typ in einem schwarzen Regenmantel über einem Tweed-Sportsakko und einem blauen Rollkragenpulli, vor sich auf dem Tisch ein hohes Glas mit einem klaren Getränk und Eiswürfeln. Dieser Mann sah Parker an, als er hereinkam, und dann sah er weder ihn noch irgend etwas anderes an.

»Ich nehme ein Bier, Nels«, rief Parker, ging schräg hinüber, setzte sich zu dem Club-Soda-Trinker an den Tisch und wandte sich ihm zu. »Na, was sagst du?«

»Was?« Der Typ war beleidigt. »Wer zum Teufel sind Sie?«

»Auch ein Freund von Oscar.«

Der Typ erstarrte für einen winzigen Moment, doch dann schüttelte er den Kopf. »Ich kenne keinen Oscar, und ich kenne Sie nicht.«

Parker nahm die Bobcat aus der Tasche, legte sie auf den Tisch und beide Hände rechts und links daneben, aber nicht zu nahe an der Pistole. »Das bin ich«, sagte er. »Und du bist Oscars Bruder?«

Der Typ starrte die Pistole an, nicht, als ob er Angst davor hätte, aber so, als wartete er darauf, dass sie sich bewegte. »Nein«, sagte er, ohne aufzuschauen. »Ich hab keine Brüder, die Oscar heißen.«

»Na schön, aber wie wichtig ist dir dann Oscar? Wichtig genug, um für ihn zu sterben?«

Jetzt sah der Typ Parker gerade an, und in seinen Augen lag Verachtung. »Sie können hier zwar das Maul aufreißen, aber schießen können Sie nicht«, sagte er. »Wir wollen ja den Hund nicht aufwecken.«

Parker nahm die Bobcat und drückte den Lauf ins Brustbein des Typs, direkt unterhalb des Brustkorbs. »Meiner Erfahrung nach«, sagte er, »ist bei so einer kleinen Pistole ein Körper wie deiner ein ziemlich guter Schalldämpfer.«

Der Typ hatte zurückweichen wollen, als die Bobcat auf ihn zukam, war aber an die hölzerne Rückwand der Nische gestoßen. Seine Hände schossen nach oben und außen, aus Angst, der Waffe näher zu kommen. Er starrte Parker an, zugleich ungläubig und doch überzeugt.

McWhitney kam mit einem Bier vom Fass, das er außerhalb der Reichweite beider auf den Tisch stellte, und fragte ruhig: »Na, wie steht's, die Herren?«

»Barkeeper«, sagte Parker, ohne die Augen vom Gesicht des anderen oder die Bobcat von dessen Brustbein zu nehmen, »greifen Sie mal in meinen Kumpel hier und holen Sie seine Knarre raus.«

»Du Schwanzlutscher«, sagte der Typ, »du hast ja keine Ahnung, was du dir da einhandelst.« Er sah Parker hasserfüllt an, während McWhitney in seinen Mantel griff und eine Glock 31 Automatik Kaliber .357 herauszog, ein ernsthafteres Instrument als die Bobcat.

»Leg sie auf den Tisch«, sagte Parker. »Und dein Handtuch.«

Er meinte das dünne weiße Handtuch, das McWhitney in sein Schürzenband gesteckt hatte.

McWhitney breitete das Handtuch über die Glock. »Und jetzt?«

»Unser Freund«, sagte Parker, »begibt sich jetzt in die letzte Nische und setzt sich hin, mit dem Gesicht in die andere Richtung. Macht er irgendwas anderes, leg ich ihn um. Und du bringst ihm was Anständiges zu trinken.«

»Mach ich.«

Parker zog die Bobcat zurück und steckte sie ein; die andere Hand hatte er auf dem Handtuch über der Glock. Zu dem Typ sagte er: »Auf«, und als dieser, wütend, aber stumm auf die Beine kam, fragte ihn Parker: »Hast du irgendwas auf den Knöcheln?«

»Nein.« Der Typ zog seine Hosenbeine hoch, um zu zeigen, dass er keine Knöchelholster trug. »Ich wünschte, ich hätte was«, sagte er bitter.

»Nein, tust du nicht. Geh.«

Der Typ ging mit schweren Schritten nach hinten und bewegte dabei die Schultermuskeln wie zur Vorbereitung auf einen Faustkampf.

Parker sagte zu McWhitney: »Zeit, den Laden dichtzumachen.«

»Stimmt.«

McWhitney ging wieder hinter den Tresen, und Parker steckte die Glock und das Handtuch ein. Er schloss die Hand um sein Bierglas, trank aber nicht, und McWhitney rief: »Hört zu, Leute, trinkt bitte aus. Ich muss jetzt schließen.«

Die Gäste nahmen es gutmütig auf. Die beiden Bauarbeiter wunderten sich lauthals darüber, dass es schon so spät war, und fragten sich scherzhaft, wie ihre Frauen das aufnehmen würden. Lebhafter und wacher, sobald sie auf den Füßen standen, versicherte jeder dem anderen, dass er ihm zu Hause bei seiner Frau die ganze Schuld zuschieben würde.

Der Zeitungsleser faltete einfach seine Zeitung zusammen und steckte sie in die Tasche, stand auf, nahm die Leine seines Hundes und sagte: »Nacht, Nelson. Danke.«

»Gern geschehen, Bill. Nacht, Jungs.«

Der massige Typ saß wie geheißen hinten, mit dem Rücken zum Raum. Die drei Gäste gingen hinaus, der Zeitungsleser leise, die beiden Bauarbeiter etwas lauter, und Parker folgte ihnen. Alle riefen noch einmal gute Nacht durch die offene Tür.

Die anderen drei gingen alle nach links. Der Zeitungsleser ging flott, und sein Hund trottete neben ihm her. Die Bauarbeiter waren ein bisschen unsicher auf den Beinen und alberten noch ein bisschen herum. Parker ging nach rechts über die Straße und dann auf dem Bürgersteig an dem Tahoe vorbei, die Hände in den Taschen.

Als er ein paar Schritte hinter dem Tahoe war, hörte er, wie nacheinander die Türen aufgingen. Er drehte sich um und nahm die Glock und das Handtuch aus der Tasche. Drei Männer stiegen aus dem Tahoe, zwei vorn, einer hinten, am Bürgersteig. Alle drei konzentrierten sich auf das, was vor ihnen war, nicht auf das, was sich hinter ihnen abspielte.

Der Mann, der vorn rechts gesessen hatte, war hochgewachsen und mager, entsprach also der Beschreibung von Oscar Sidd. Er schlug seine Tür zu und machte einen Schritt nach vorn, zum Vorderteil des Wagens hin, als Parker ihn erschoss, die Glock am ausgestreckten Arm unter dem Handtuch.

Sidd sackte zusammen, und die anderen beiden fuhren erschrocken herum. Parker hielt die Glock in dem Handtuch in Hüfthöhe, nach rechts weggedreht, und rief: »Noch jemand?«

Die beiden schauten fassungslos zu ihm hin, dann sahen sie sich über das Autodach hinweg an. Der Typ auf der Straßenseite konnte Oscar nicht sehen. Der andere schaute auf den Leichnam hinab, dann zu seinem Partner, und schüttelte den Kopf.

Der Fahrer sprang hinters Lenkrad, der andere auf den Rücksitz. Der Motor heulte auf, die Lichter gingen an, und man sah, dass der Tahoe Händlerkennzeichen hatte. Der Fahrer gab zunächst so viel Gas, dass die Räder durchdrehten und Rauch aufstieg, doch dann hatte er sich wieder im Griff, und der Tahoe entfernte sich eilends vom Ort des Geschehens.

Parker brachte die Glock und das Handtuch in die Bar zurück. Der massige Typ saß noch auf seinem Platz in der hintersten Nische. Parker rief ihm zu: »Komm her«, und der Typ kam mit mürrischem Gesicht am Tresen entlang, baute sich vor Parker auf, sah auf die Glock und sagte: »Ja?«

»Ich hoffe, du bist mit dem eigenen Auto hier.«

Der Typ sah stirnrunzelnd zur Tür. »Wo sind sie?«

»Weg. Bis auf Oscar. Der liegt tot da draußen. Er ist mit deiner Waffe hier erschossen worden.« Parker legte sie auf den Tresen und sagte: »Pass gut auf sie auf, Nels.«

»Wird gemacht.«

Parker schaute den Typ an. »Hat jemand gehört, dass ich einen Schuss abgegeben hab? Ich weiß es nicht. Hat jemand die Cops gerufen? Ich weiß es nicht. Wird Oscar noch da liegen, wenn sie ankommen? Das liegt an dir.«

»Gott im Himmel«, sagte der Typ, und es war halb Fluch, halb Gebet. Er rannte hinaus, und Parker sagte zu McWhitney: »Ich muss mal dein Telefon benutzen.«

»Klar.«

Parker rief Claire auf dem Handy an. »Bist du noch auf der Insel?«

»Ja. Bist du schon fertig?«

»Komm zurück, dann gehen wir hier irgendwo essen –«

»Ich sag euch, wo«, sagte McWhitney.

»– und übernachten hier, und morgen fährst du heim, und ich geh wieder zu Nels.«

»Was ist passiert?« fragte sie.

»Ich hab keine Wut mehr«, sagte er.

SIEBEN

Auf dem Schild im Fenster der Tür des McW stand am nächsten Morgen um halb zehn GESCHLOSSEN, und das grüne Rollo war heruntergezogen, aber die Tür war nicht abgesperrt. Parker ging hinein. McWhitney saß in der ersten Nische links, trank eine Tasse Kaffee und las die *Daily News*. Er schaute auf, als Parker hereinkam, und fragte: »Ist Claire wieder gefahren?«

Parker setzte sich auf einen Hocker, mit dem Rücken zum Tresen. »Ja.«

McWhitney wies mit dem Kinn zur Wand über dem Flaschenregal, wo ein Fernseher mit abgeschaltetem Ton lief. »Es gibt Neuigkeiten in den Nachrichten.«

»Für uns?«

»Sie haben Nicks Leiche gefunden.«

Parker zuckte die Achseln. »Na ja, geht doch in Ordnung.«

»Ach übrigens, möchtest du Kaffee?«

»Nein, ich hab mit Claire gefrühstückt.«

»Na ja, die Sache mit Nick, vielleicht geht das ja wirklich in Ordnung, vielleicht aber auch nicht.« McWhitney wackelte mit der flachen Hand über der Zeitung, um die Ungewissheit zu betonen.

»Warum denn nicht?« fragte Parker. »Wir sind da oben doch fertig.«

»Die Gesangbücher«, sagte McWhitney. »Ich wollte sie in irgendeine Kirche hier in der Gegend bringen. Bloß um sie loszuwerden, aber jetzt bin ich mir nicht mehr sicher. Können die zu der Kirche da oben zurückverfolgt werden? Ich will nicht irgendwas um mich herum haben, was mit irgendwas in Massachusetts zusammenhängen könnte.«

»Wir entsorgen die irgendwo anders«, sagte Parker.

McWhitney schüttelte den Kopf. »Ich hätte mir nie träumen lassen«, sagte er, »dass ich mal rumsitzen und mir den Kopf darüber zerbrechen würde, wie ich eine Ladung heiße Gesangbücher loswerden kann.«

»Wir müssen uns erst mal um das Geld kümmern. Die Ladung aufteilen. Rollkoffer wären gut dafür.«

»Vielleicht drei Stück. Es ist ein Haufen Geld.«

»Wo ist der Transporter?«

»Auf einem offenen Parkplatz zwei Straßen weiter«, sagte McWhitney. »Ich hab mir gedacht, wenn wir so eine kleine Schrottkiste allzu offensichtlich bewachen, sieht's vielleicht so aus, als könnte was drin sein.«

»Gesangbücher.«

»Genau.« McWhitney gähnte und schob die *Daily News* von sich weg. »Ich hab heute früh mit Sandra telefoniert«, sagte er. »Sie hat die Fähre im Internet recherchiert. Die, die wir brauchen, fährt um eins los. Sie braucht eine Stunde und zwanzig Minuten. Wir wären also um drei zurück.«

»Bestens. Aber inzwischen ist mir doch eine Komplikation von wegen Nick eingefallen.«

McWhitney lachte. »Dieser Nick«, sagte er. »Eine Komplikation nach der anderen, oder? Was denn jetzt noch?«

»Die Trooper, die vorbeigeschaut haben, als wir die Kartons aus der Kirche geholt haben«, sagte Parker.

»Ich weiß. Die Frau ist früher in diese Kirche gegangen.«

»Und jetzt haben sie Nick gefunden«, sagte Parker. »Meinst du nicht, dass sie sich jetzt Gedanken über diesen Transporter machen?«

»Scheiße.«

»Die haben sich nichts notiert«, fuhr Parker fort. »Sie haben sich deine Papiere angesehen, aber nichts unternommen.«

»Ja, stimmt.«

»Aber sie werden sich daran erinnern, was auf der Tür gestanden hat. Chor der Erlöserkirche.«

»Und sie werden hier suchen und dort suchen und keinen Chor der Erlöserkirche finden.«

»Jedenfalls nicht denselben.«

McWhitneys Miene verdüsterte sich. »Und wir wollen mit dem Transporter auf eine Fähre nach Neuengland.«

»Der Laden, wo du den Namen hast draufmalen lassen«, fragte Parker, »ist der hier in der Nähe?«

»Ja, ein paar Minuten zu Fuß. Ich bin sogar zu Fuß hingegangen.«

»Könnten die den Namen auch wieder übermalen?«

McWhitney stand auf und sagte: »Ich ruf mal an. Kann ja nicht schaden, oder?«

»Die Zeit müsste gerade noch reichen, bis wir zu der Fähre losfahren müssen. Wenn nicht, dann nehmen wir die nächste.«

McWhitney ging ums Ende des Tresens herum zum Telefon und sagte: »Wenn das vorbei ist, werde ich ganz, ganz lange nur noch Barkeeper sein.«

ACHT

Der Autolackierer sagte McWhitney am Telefon, er könne die Schrift auf den Türen in fünf Minuten mit der Spritzpistole in der Karosseriefarbe übersprühen. Also gingen er und Parker zu dem Parkplatz, auf dem McWhitney den Transporter abgestellt hatte. Unterwegs sagte Parker: »Das einzige, was wir heute erledigen müssen, ist die Geldübergabe. Wir müssen das Zeug loswerden. Die Gesangbücher können noch warten.«

»Mir ist nicht wohl dabei«, sagte McWhitney, »aber ich weiß, du hast recht.«

»Wo ist dein Pick-up?«

»Bei mir hinterm Haus. Wenn genug Platz wäre, hätte ich den Transporter da auch hingestellt, aber es ist einfach zu eng.«

»Wir laden die Kartons mit den Büchern in den Pick-up um«, sagte Parker, »und dann kümmern wir uns um das Geld.«

»Okay, bestens.«

Sie kamen an einem Supermarkt vorbei, wo Parker zehn große Rollkoffer kaufte. Dann gingen sie weiter zu dem Parkplatz und fuhren mit dem Transporter die vier Blocks bis zu der Autolackiererei, einem weitläufigen, flachen Backsteinbau, der den größten Teil des Blocks einnahm. Auf dem geschlossenen Tor in der Mitte der ansonsten kahlen Wand stand HUPEN in großen roten Buchstaben auf einem weißen Schild, also hupte McWhitney, und nach einer Minute ging eine kleinere Tür in dem Tor auf, und ein Mann im Overall schaute heraus.

McWhitney rief: »Sag George, es ist Nelson«, und der Mann nickte und schloss die Tür wieder.

Sie warteten weitere zwei bis drei Minuten, und dann ging das ganze Tor hoch, und ein anderer Mann kam heraus, ebenfalls im Overall, doch mit Baseballmütze, schwarzer Hornbrille und einem buschigen schwarzen Schnauzer. Er ging rüber zu McWhitney, grinste ihn an, grinste über den Namen an der Tür und sagte: »Bist wohl fromm geworden und hast es dir dann doch anders überlegt.«

»So ungefähr, ja.«

»Das ist im Handumdrehen erledigt, aber ich muss es drin machen, ich brauch den Kompressor.«

»Klar.«

George beugte sich näher zu McWhitneys Fenster. »Es dauert zwar nicht lange«, sagte er mit einem freundlichen Lächeln, »aber billig wird es nicht.«

McWhitney zog einen Hundertdollarschein aus seiner Brusttasche und hielt ihn mit der Handfläche nach unten George hin. »Wenn's so schnell geht, braucht's auch nicht über die Kasse zu laufen.«

»Wie wahr.« George ließ den Hunderter verschwinden. »Ihr könnt beide drinbleiben«, sagte er. »Mir nach.« Er drehte sich um und ging in das Gebäude zurück, und McWhitney fuhr ihm nach.

Fast das ganze Gebäude war eine einzige weite, offene Halle mit Betonboden, in der ein ohrenbetäubender Lärm herrschte. Karosserieteile wurden ausgebeult oder lackiert, andere Teile wurden auf niedrigen Transportwagen mit Metallrädern durch die Halle befördert, und mindestens zwei

Kofferradios vertraten gegensätzliche Meinungen zum Thema Musik. Zwanzig bis dreißig Männer arbeiteten hier, alle in Overalls, und die meisten riefen etwas oder sangen.

Unterhalten konnte man sich hier nicht, sobald man drei, vier Meter weit in die Halle hineingegangen war. George dirigierte sie mit Handzeichen. Während der erste Mann das Tor hinter ihnen schloss, lotste George sie zwischen Autos, Autoteilen und Maschinen hindurch zu einem länglichen Areal, über dem ein großes, rechteckiges Metallgitter aufgehängt war. Von dem Gitter führten dicke, glänzende Metallschläuche an die Decke.

George ließ McWhitney direkt unter dem Gitter halten und ging weg, und gleich darauf mischte sich das laute Heulen eines Druckluftkompressors ins allgemeine Getöse. George kam von hinten auf die linke Seite des Transporters, in der Hand eine Spritzpistole an einem schwarzen Gummischlauch, und ging neben McWhitneys Tür in die Hocke. Der Heulton stieg kurz an und sank dann wieder ab. George ging mit seiner Spritzpistole und dem Schlauch hinter dem Transporter herum auf die rechte Seite und spritzte die andere Tür. Er trat zurück, begutachtete sein Werk, nickte und brachte die Spritzpistole wieder weg.

Als er wiederauftauchte, machte er ihnen ein Zeichen, ihm zu folgen, und McWhitney lenkte den Transporter durch das Labyrinth der Gänge in der Halle zu einem anderen Tor, das auf eine Nebenstraße hinausging. Sie fuhren hinaus, hielten auf dem Bürgersteig und stiegen beide aus, um sich die Türen anzusehen.

Die Beschriftung war spurlos verschwunden. Der frische Lack war dunkler und glänzender als die übrige Karosserie, hatte aber denselben Farbton.

George, der neben McWhitney stand und seine Arbeit betrachtete, sagte: »Das trocknet ziemlich schnell, und dann hat's dieselbe Farbe wie die Karosserie.«

»Gut.«

»Weil es im Freien trocknet statt in der Halle, kommt ein bisschen Staub und Dreck drauf, also wird es nicht ganz so perfekt. Es wird ein bisschen rauh.«

»George«, sagte McWhitney, »das spielt überhaupt keine Rolle. Das ist tipptopp.«

»Hab ich mir gedacht«, sagte George. Er war immer noch zufrieden. »Wenn wir wieder mal was für dich tun können – ruf einfach an.«

NEUN

Die schmale Gasse neben dem McW führte in einen kleinen Hof, der vor langer Zeit mit unregelmäßigen Schieferplatten gepflastert worden war. Die Fläche wurde begrenzt von der Rückseite des McW, der Seitenwand des nächsten Gebäudes jenseits der Gasse und auf den anderen beiden Seiten von zwei zweieinhalb Meter hohen Backsteinmauern. Nach den örtlichen Bauvorschriften musste jedes kommerzielle Etablissement zwei Ausgänge haben, und im Falle des McW führte der zweite Ausgang aus dem Schlafzimmer von McWhitneys Wohnung hinter der Bar auf diesen Hof. Der Hof war so groß, dass McWhitney einigermaßen bequem mit seinem Pick-up parken, wenden und wieder hinausfahren konnte, aber mehr war nicht möglich.

Jetzt fuhr McWhitney mit dem Transporter rückwärts in die enge Gasse, bis er an seinem Haus vorbei war und neben dem Pick-up stand. Er und Parker stiegen aus, McWhitney fuhr den Pick-up näher an die Hecktüren des Transporters heran, und sie begannen, die Kartons auszuladen.

Die ersten Kartons, die sie herausnahmen, waren mit Gesangbüchern gefüllt – schwer, aber nicht unhandlich. Dann kamen die Geldkartons.

Das Geld in den Kartons war gebündelt, jeweils fünfzig Scheine desselben Nennwerts. Die Banderolen, fünf Zentimeter breite, hellgelbe Papierstreifen, trugen den Aufdruck

DEER HILL BANK, DEER HILL, MA. Die Bündel passten genau in die Kartons.

Wie sich zeigte, war es am einfachsten, einen Karton umzukippen, das Geld auf die Ladefläche des Transporters zu leeren und es dann in die Rollkoffer zu stopfen. Der leere Karton wurde wieder mit seinem Deckel verschlossen und mit den anderen auf der Ladefläche des Pick-ups gestapelt.

»Schade um das Zeug«, sagte McWhitney. »Schau dir an, wie schön das ist.«

»Verführerisch«, sagte Parker. »Aber leider von einer Krankheit befallen.«

»Ja, ich weiß.«

Als sie fertig waren, war der Pick-up, der ein bisschen in die Knie gegangen war, mit leeren und vollen Kartons vollgestopft, und drei prallgefüllte Rollkoffer lagen hinten im Transporter. McWhitney schaute auf die Uhr. »Mein Barmann kommt in einer Viertelstunde«, sagte er, »dann können wir losfahren. Komm rein.«

Aus Brandschutzgründen musste die Hintertür seines Hauses während der Öffnungszeiten stets von innen zu öffnen sein, doch von außen brauchte man einen Schlüssel. McWhitney schloss auf, und sie gingen durch seine kleine, aber sauber aufgeräumte Wohnung in die Bar. »Willst du ein Bier für unterwegs?« fragte McWhitney.

»Später.«

»Ich trau dem Später nicht, ich trink meins gleich. Willst du Sandra anrufen?«

»Ja. Gib mir das Telefon.«

McWhitney schob Parker das Telefon über den Tresen hin, zapfte sich ein Bier und sah zu, wie Parker telefonierte.

»Keenan.«

»Hallo, Sandra.«

»Ich bin unterwegs«, sagte sie. »Ich schätze, ich bin eher da als alle anderen und kann deshalb feststellen, ob irgend jemand noch Begleitung mitbringt.«

»Gute Idee. Wir kommen in demselben Transporter, aber es steht nichts mehr drauf.«

»Ah, ihr habt's gehört. Wenn diese Polizistin sich nicht an diese Kirche erinnert hätte, dann hätte sie keinen Grund gehabt, sich an uns oder den Transporter zu erinnern.«

»Ja, aber das spielt keine Rolle mehr. Bis nachher.«

Parker legte auf, und McWhitney sagte: »Was spielt keine Rolle mehr?«

»Die Cops in der Kirche.«

»Ich hab nicht vor, in nächster Zeit noch einmal durch ihren Bezirk zu fahren«, sagte McWhitney und zog die Schublade im Flaschenregal unterhalb der Registrierkasse auf. »Diese Knarre haben wir dem Typ gestern abend abgenommen«, sagte er. »Ich will sie nicht mehr in meinem Laden haben, und andererseits, wenn man bedenkt, wo wir hinfahren, was wir vorhaben, wär's vielleicht gar nicht so schlecht, eine Extrapistole mitzunehmen.«

»Klar, steck sie ein.«

McWhitney wollte sie in der Innentasche seines Sakkos verstauen, aber dafür war sie zu groß und zu schwer. »Ich leg sie ins Handschuhfach«, beschloss er. »Und schmeiß sie dann von der Fähre. Wenn alles gutgeht.«

ZEHN

Von ihrem Ausgangspunkt in Bay Shore an der Südküste von Long Island waren es etwa hundert Kilometer nach Nordosten bis zur Fähre in Orient Point. Die Hälfte der Strecke legten sie auf Schnellstraßen zurück, zuerst auf dem Sagtikos Parkway und dann auf dem Long Island Expressway nach Osten, aber bei Riverhead endete der Expressway, auf dem der Verkehr schon zusehends dünner geworden war, und sie mussten das weniger dicht bewohnte Ende der Insel auf kleineren Straßen durchqueren; bis zur Fähre waren es noch über fünfzig Kilometer.

Sie waren seit dem Ende des Expressways etwa fünf Minuten gefahren, zuerst auf der Edwards Avenue nach Norden, fast bis zum Long Island Sound, und dann auf der Sound Avenue nach Osten, als McWhitney plötzlich hellwach »Ja?« sagte. Er neigte den Kopf und lauschte, und Parker wusste, dass Sandra ihn auf seinem Freisprech-Handy anrief. Sie waren jetzt überwiegend von struppigem Ödland umgeben, hie und da standen ein paar kleine Eigenheime und Geschäfte, von denen manche schon für den Winter geschlossen hatten.

»Mach ich«, sagte McWhitney ins Leere und nahm den Fuß vom Gaspedal. Der Transporter verlangsamte sich auf etwa fünfzehn Stundenkilometer, dann tippte McWhitney wieder aufs Gas, so dass sie die neue Geschwindigkeit etwa zwei, drei Minuten lang beibehielten.

Parker wartete ab, weil er nicht unterbrechen wollte, falls Sandra noch mehr zu sagen hatte. Dann sagte McWhitney: »Okay, verstanden. Sagen Sie mir Bescheid, wenn sie noch was anderes machen.«

»Werden wir verfolgt?« wollte Parker wissen.

»Ein schwarzer Chevy Suburban mit Händlerkennzeichen«, sagte McWhitney. »Bleibt bei jedem Tempo hinter uns.« Nach und nach beschleunigte er wieder auf die ursprüngliche Geschwindigkeit.

»Der Wagen, den Sidd und die anderen gestern abend hatten«, sagte Parker, »war auch ein Chevy mit Händlerkennzeichen. Das sind Sidds Kumpels.«

McWhitney grinste. »Die haben einen Freund in der Autobranche.«

»Sie sind uns nachgefahren«, sagte Parker, »weil sie wissen wollten, wohin wir fahren.«

»Das müssten sie sich längst zusammengereimt haben«, sagte McWhitney. »Wenn man erst mal an Riverhead vorbei ist, hat man hier draußen nur drei Möglichkeiten: die Fähre nehmen, schwimmen oder umkehren.«

»Die Frage ist«, sagte Parker, »ziehen wir sie aus dem Verkehr, oder ignorieren wir sie?«

»Das hier ist eine öffentliche Straße bei hellichtem Tag«, sagte McWhitney. »Nicht viel los, aber immerhin einiges. Es macht einfach zuviel Arbeit, sich um sie zu kümmern. Und die werden sich auch nicht an uns vergreifen wollen, solange wir hier bei Tageslicht rumfahren.«

»Und auf der Fähre?«

»Ist man auch nicht unbeobachtet.« McWhitney zuckte die Achseln. »Ich bleib im Wagen. Andere werden auch in ihren Autos bleiben und nicht nach oben gehen. Die lesen Zeitung, sind mit irgendwas beschäftigt; ich bin also nicht allein. Du machst dich auf die Suche nach dem Blazer und lässt dir die Schlüssel geben.«

»Aber irgendwann«, sagte Parker, »werden wir uns um diese Leute kümmern müssen.«

»Irgendwann«, sagte McWhitney, »fallen die uns noch in die Hände. Was?«

Letzteres galt nicht Parker, sondern der Stimme in seinem Ohr, denn nachdem er kurz zugehört hatte, lachte McWhitney und sagte: »Das ist sehr nett. Sie werden es schon hinkriegen.«

»Will sie was gegen die unternehmen?« fragte Parker. Ihm war nicht wohl bei dem Gedanken. Besser, sie wussten nichts von Sandra, außer, er und McWhitney würden sie tatsächlich brauchen.

Aber McWhitney beruhigte ihn: »Nein. Sie will, dass ich noch mal ein Stück langsam fahre, damit sie einen Vorsprung gewinnt und schon da ist, wenn sie auf die Fähre fahren.«

Parker nickte. »Gut.«

»Dann werden wir schon sehen, was für Ärger sie machen kann.« McWhitney lachte wieder. »Ich wette, das ist nicht von Pappe.«

ELF

An der Fährstation, einem großen, offenen Gelände am Ende der Northern Fork von Long Island, nach Süden gelegen, obwohl die Fähre nach Norden fuhr, bezahlten die Autofahrer zunächst den Fahrpreis, dann stellten sich die Autos auf einer großen, mit Fahrspuren markierten Parkfläche in mehreren Reihen auf. Hier mussten sie warten, bis die aus Connecticut kommende Fähre anlegte und alle Autos und Passagiere von Bord gingen, bevor sie in der Reihenfolge, in der sie eingetroffen waren, auf die Fähre konnten.

Der Transporter stand in der Mitte der dritten Reihe. Diese Spur füllte sich ziemlich rasch, dann kamen weitere Autos, die sich in der Spur rechts neben ihnen aufreihten. Draußen auf dem Wasser sah man die große, weiß und blau gestrichene Fähre bei ihrem langsamen Anlegemanöver.

Es war ganz still, als McWhitney in dem Transporter plötzlich »Was?« fragte. Dann sagte er zu Parker: »Sie sagt, wir sollen mal hinter uns schauen.«

Parker versuchte, durch die Rückfenster des Transporters zu schauen, aber man sah nichts außer der Vorderseite des dicht hinter ihnen stehenden nächsten Autos. Er beugte sich seitwärts, bis er in den Außenspiegel sehen konnte, und da, zwei Wagen hinter ihnen, stand Sandras schwarzer Honda mit seinen Peitschenantennen. Dahinter konnte er gerade noch den schwarzen Chevy Suburban erkennen.

»Sie ist hinter uns, und die anderen sind hinter ihr«, sagte er.

»Ich kann's nicht ausstehen, wenn einer hinter mir her ist«, sagte McWhitney. »Das macht mich kribbelig.«

»Wir sagen's ihnen«, sagte Parker.

Es dauerte noch etwa eine Viertelstunde, bis die Fähre für die Überfahrt nach Connecticut beladen wurde. Als alle an Bord waren und das Schiff von seinem Liegeplatz in die Gardiners-Bucht auslief, sagte Parker: »Ich seh jetzt nach dem Typ.«

»Ich lass die Türen verriegelt«, sagte McWhitney. »Man soll ja nicht allzu sorglos sein.«

Parker stieg aus, und McWhitney sicherte die Türen. Er stieg die Eisentreppe zum Oberdeck hinauf, wo die Leute am Kiosk Schlange standen. Durch große Fenster sah man Meer und Himmel, und es gab Sitzbänke drinnen und draußen.

Parker konnte den massigen Typ vom Abend zuvor nirgends entdecken, und er sah auch Sandra nicht, aber als er durch ein Seitenfenster schaute, sah er draußen einen kastanienbraunen Blazer; der Mann schlenderte an der Reling entlang. Als er hinausging, sah er, dass es derselbe Typ war, der ihn in der Woche zuvor bei Cosmopolitan Beverages in Meanys Büro gebracht hatte.

»So sieht man sich wieder«, sagte Parker.

»Genau«, erwiderte der andere. Hier draußen lächelte er und gab sich entspannt. »Ich wollte mich bei Ihnen bedanken«, sagte er. »Sie haben mir zu einem freien Tag und zu einem netten Ausflug per Schiff verholfen.«

»Das ist doch schön.« Parker schaute sich um. Immer noch sah er sonst niemanden, den er kannte.

Der andere merkte, wie angespannt er war. »Alles in Ordnung? Kann ich Ihnen jetzt die Schlüssel geben?«

»Ja. Jetzt.«

Der Mann zog die Schlüssel aus der Tasche, gab sie Parker und sagte: »Ungefähr in der Mitte, auf der linken Seite. Ein Subaru Forester, grün. Gibt es etwas, was ich wissen sollte?«

»Nein. Ein paar Leute wollen unbedingt mitspielen. Das werden wir ihnen ausreden.«

»Frank hätte gern sein Auto wieder«, sagte der Mann und grinste erneut, doch diesmal nicht mehr ganz so entspannt. »Und das andere hätte er natürlich auch gern.«

»Wir kümmern uns darum«, sagte Parker. »Ich muss jetzt gehen. Wenn die sehen, dass ich mit Ihnen rede, fragen sie sich, wer das ist.«

Das Grinsen des Mannes wurde wieder selbstbewusst. »Das sollten sie sich besser verkneifen.«

»Ein guter Gedanke«, sagte Parker und ging wieder hinein.

Jetzt sah er den massigen Typ vom Abend zuvor in der Schlange am Kiosk. Parker passierte die Schlange, ohne gesehen zu werden, ging dann zu den Autos hinunter, fand den Forester und schloss ihn auf. Auf dem Rücksitz standen zwei Schnapskartons. Er machte sich nicht die Mühe hineinzusehen.

Von hier aus stand der Chevy Suburban fast parallel zu ihm, zwei Reihen weiter, mit Sandras Honda davor und McWhitney im Transporter noch weiter vorn. Parker steckte den Zündschlüssel ins Schloss und wartete.

Beim Entladen der Fähre in New London kam es zu einer Panne. Die ersten Wagen, darunter auch McWhitneys Transporter, rollten normal hinunter, doch dann wollte Sandras Honda nicht anspringen. Vergebens betätigte sie immer wieder den Anlasser, und hinter ihr begannen die anderen zu hupen und zu schreien und aus ihren Fahrzeugen auszusteigen. In den anderen Spuren kamen die Autos vorwärts, aber in dieser einen ging gar nichts mehr. Als Parker hinunterfuhr, schoben der massige Typ und noch einer aus dem Suburban gerade den Honda.

McWhitney hatte am Straßenrand gewartet. Er lachte, als Parker vorbeifuhr, und fädelte sich hinter ihm ein. Sie fuhren in die Stadt und fanden einen Supermarkt, auf dessen Parkplatz Parker ganz nach hinten fuhr. McWhitney stellte sich neben ihn und stieg aus. Er lachte immer noch und sagte: »Die hat sich von denen anschieben lassen. Ganz schön kaltblütig, die Frau.«

»Wir müssen schnell machen«, sagte Parker. »In einer halben Stunde läuft die Fähre wieder aus.«

Sie fingen an, die drei Rollkoffer und die beiden Schnapskartons umzuladen, und McWhitney sagte: »Ich hab mir was überlegt. Wir haben ja immer noch Geld in dem Transporter. Nicht die schmutzigen zwei Millionen, aber die sauberen zweihundert Mille.«

»Stimmt«, sagte Parker.

»Also haben wir immer noch was, was sie uns abjagen könnten«, sagte McWhitney. »Deshalb hab ich mir gedacht, ich fahr besser nicht mit der Fähre zurück. Du schon, und Sandra auch. Du gibst dem Getränkeheini den Subaru zurück und fährst dann mit Sandra zu mir.«

»Aber dafür brauchst du fünf Stunden«, sagte Parker. »Fast bis in die City und dann wieder raus auf die Insel.«

»Aber die kennen den Transporter«, sagte McWhitney, »und wir waren gestern abend gar nicht nett zu ihnen, also sind sie noch zusätzlich motiviert. Du weißt, dass ich dir nicht abhaue, weil ich mich nicht von meiner Bar trennen kann. Ihr werdet gegen halb sechs dort sein, ich um acht. Und Sandra kann mit mir in Verbindung bleiben.«

»Na schön«, sagte Parker. »Dann sehen wir uns dort.«

ZWÖLF

Diesmal musste Parker nicht so lange warten, um an Bord der Fähre zu gelangen. Er fuhr mit dem Forester die Rampe hinauf, folgte den Handsignalen der Besatzung und kam weit vorn im Bug der Fähre zum Stehen. Die drei großen Rollkoffer füllten fast den ganzen Raum hinter ihm aus – einer lag auf dem Rücksitz, die anderen beiden hatte er in den Laderaum gestopft.

Auch diesmal wartete er ab, bis die Fähre abgelegt und gewendet hatte. Dann stieg er aus, schloss den Forester ab und ging zur Treppe. Er schaute noch nicht nach Sandras Honda, aber den würde er schon finden, wenn er ihn brauchte.

Frank Meanys Mann promenierte auf demselben Seitendeck wie auf der Herfahrt. Er wirkte so entspannt, als ginge er demnächst in Rente. Als er Parker sah, lächelte er und fragte: »Alles in Ordnung bei Ihnen?«

Parker gab ihm die Autoschlüssel und sagte: »Sie werden im Rückspiegel fast nur Rollkoffer sehen.«

»Frank hat ein Faible für Rollkoffer«, sagte der Mann. »Schön, Sie wiederzusehen.«

Parker ging wieder hinein und sah Sandra die Treppe heraufkommen. Er ging zu ihr hinüber und sagte: »Ich fahre mit Ihnen.«

»Aber noch nicht gleich. Ich muss mal für kleine Mädchen. Bin gleich zurück.«

Sie ging zu den Toiletten, und Parker wartete in der Nähe eines Fensters an einer Stelle, wo Leute, die die Treppe heraufkamen, in die andere Richtung schauten. Aber keiner der drei Männer aus dem Suburban war dabei, und ein paar Minuten später kam Sandra zurück und winkte Parker zu, und die beiden gingen die Treppe hinunter zu den Autos. Parker sagte: »Nelson wollte mit dem guten Geld nicht auf die Fähre zurück, wegen dieser Typen, und hat deshalb den Landweg genommen.«

»Da braucht er doch ewig.«

»Er meint, bis acht wird er es zu sich nach Hause schaffen. Wir warten dort auf ihn.«

»Na gut«, sagte sie und zeigte auf ihr Auto. »Ich steh da drüben.«

»Ich sehe den Suburban nirgends«, sagte er.

»Was?« Sie schaute sich um. »Ach, verdammt. Die müssen doch irgendwo sein.«

»Sie gehen da rüber, ich hier, aber ich glaub nicht, dass wir sie finden.«

Sie gingen an den Autos vorbei und trafen sich bei dem Honda. Sandra schaute zu ihm herüber und fragte: »Was jetzt?«

»Erst mal setzen wir uns ins Auto.«

Sie schloss auf, sie stiegen ein, und als beide Türen zu waren, sagte er: »Rufen Sie Nelson an.«

»Geht nicht«, sagte sie. »Kein Empfang. Der stählerne Rumpf von dem Ding hier ist schuld.«

»Dann gehen Sie doch an Deck.«

»Das nützt auch nichts.«

Parker sah sie an. »Sie können Nels nicht erreichen, bevor wir wieder auf Long Island sind?«

»Ich finde das genauso furchtbar wie Sie.«

Er schüttelte den Kopf. »Noch über eine Stunde, bis wir ihn anrufen können.«

»Der kommt schon klar«, sagte sie. »Ist ja ein großer Junge.«

»Ja, ist er. Und die anderen sind drei große Jungs.«

Als sie in Orient Point die Fähre verlassen hatten, scherte Sandra bei der ersten Gelegenheit aus, hielt und rief McWhitney an. Parker beobachtete ihr Gesicht und sah, dass McWhitney sich nicht meldete.

»Nur seine Mailbox«, sagte sie. »Aber scheiß drauf, dann hinterlasse ich eben eine Nachricht. Nelson, rufen Sie mich zurück.« Sie brach die Verbindung ab und sagte: »Mist. Ich hätte das Geld gebraucht.«

»Die sind immer noch da draußen unterwegs«, sagte Parker. »Die sind noch nirgends vor Anker gegangen. Die müssen nach Long Island zurück. Schon allein deshalb, weil sie den Wagen zurückgeben müssen.« Er schaute durch die Windschutzscheibe und sagte: »Wenn wir wüssten, welcher Händler das war, könnten wir auf sie warten.«

»Wenn's weiter nichts ist, das kann ich erledigen.«

»Ach ja?«

Sie zeigte auf den Notizblock, den sie auf dem Armaturenbrett befestigt hatte. »Von jedem Wagen, dem ich folge oder der mich interessiert, schreib ich mir grundsätzlich das Kennzeichen auf, immer.«

Parker besah sich die Nummer. »Und damit kriegen Sie den Händler raus?«

»Klar, Keenan und ich hatten immer ein paar gutbezahlte Freunde bei der Zulassungsstelle. Passen Sie auf.«

Aus ihrer bauchigen Handtasche zog sie ein schmales

schwarzes Büchlein, schlug es auf und wählte eine Nummer. »Hi. Ist Matt Devereaux zu sprechen? Danke.«

Sie wartete. Die letzten paar Autos von der Fähre fuhren an ihnen vorbei.

»Hallo? He, Matt, ich bin's, Sandra Loscalzo, wie geht's? Also, ich hab hier eine knifflige Sache, vielleicht können Sie mir helfen. Es geht um ein Händlerkennzeichen, ich brauche also diesmal nicht den Wagen, sondern den Händler. Natürlich.« Sie nannte die Nummer, gab ihm noch ihre Handynummer und legte auf.

»Er ruft in fünf Minuten zurück«, sagte sie und legte den Gang ein. »Wir können auch schon losfahren. Wo immer der Händler ist, so weit draußen auf Long Island sitzt er bestimmt nicht.«

Matt rief sie tatsächlich nach fünf Minuten zurück, als sie noch immer im Verkehr von der Fähre steckten, alles in westlicher Richtung auf der Route 25. »Keenan. Hallo, Matt. Super. Sagen Sie's noch mal.«

Sie stieß Parker an und zeigte auf den Notizblock auf dem Armaturenbrett. Er nahm den kleinen magnetischen Kugelschreiber in die Hand, und sie sagte: »DiRienzo Chevrolet, Long Island Avenue, Deer Park.« Sie buchstabierte »DiRienzo« und sagte dann: »Danke, Matt. Ich melde mich später noch mal. Roy? Den hab ich eine Zeitlang nicht gesehen.« Sie beendete die Verbindung und sagte: »Tja, das stimmt sogar. Deer Park ist nur ein Stückchen weiter als Bay Shore. Spricht irgendwas dafür, da gleich hinzufahren?«

»Alles spricht dafür«, sagte Parker, »aber noch nicht gleich. Wir fahren in die Gegend, suchen uns ein Lokal, essen was und beziehen vor acht Position.«

»Und wenn sie ihn erst morgen zurückbringen?«

»Sie brauchen ihn nicht mehr«, sagte Parker, »und ihr Freund in dem Autohaus wird nervös, wenn der Wagen über Nacht wegbleibt.«

Sandra schaute stirnrunzelnd auf den stockenden Verkehr ringsum. Er würde sich erst nach einer weiteren halben Stunde auflösen, am Beginn des Expressways. »Sie sind ein komischer Vogel als Partner«, sagte sie.

»Sie aber auch.«

»Tun Sie mir einen Gefallen. Bringen Sie niemand um.«

»Mal sehen.«

DREIZEHN

Ein halbes Dutzend Autohändler drängten sich auf beiden Seiten der breiten Straße zusammen, und alle verkündeten, auf Transparenten oder in Neonschrift: BIS 21.00 GEÖFFNET. Alle waren hellerleuchtet wie Footballstadien, und in diesem Glanz funkelten die Glas- und Chromflächen ihrer Waren wie Schatzkisten. Hier war das Zentrum der Autowelt, wo man sich um die automobilen Bedürfnisse der Schlafstädte kümmerte.

Um fünf nach halb acht fuhr Sandra die Straße entlang, und als sie auf der rechten Seite den Schriftzug DIRIENZO in großen Neonlettern sah, sagte sie: »Was machen wir jetzt?«

»Fahren Sie rein. Wir schauen uns Autos an.«

Es gab auf dem DiRienzo-Gelände drei getrennte Bereiche für Autos: Neuwagen, Gebrauchtwagen und Kundenfahrzeuge. Sandra folgte den Schildern und stellte den Honda bei den Kundenfahrzeugen ab, dann sagte sie: »Jetzt gehe ich schon mit Ihnen einkaufen. Das muss endlich ein Ende haben.«

Er schüttelte den Kopf und stieg aus, und sie folgte ihm. Sofort erschien ein adretter junger Mann mit Anzug und Krawatte, lächelte zur Begrüßung und fragte: »Suchen Sie eine Familienlimousine?«

Sandra lächelte noch freundlicher als er. »Wir schauen uns nur um.«

»Aber bitte sehr«, sagte er mit einer ausgreifenden Armbewegung, als gehörte das alles ihnen.

»Danke.«

»Ich bin Tim. Ich arbeite hier.« Er zückte eine Visitenkarte und überreichte sie Sandra. »Lassen Sie sich ruhig Zeit. Wenn ich irgendwie behilflich sein kann – ich bin da.«

»Danke.«

Sie entfernten sich, und Sandra fragte: »Brauchen wir eine neue Familienlimousine oder eine gebrauchte Familienlimousine?«

»Vor allem müssen wir näher an das Gebäude ran. Ich muss sehen, wie sie reinfahren und was sie dann machen.«

Es war ein breites Gebäude, ebenerdig, aber recht hoch. Die Fassade bestand überwiegend aus großen Glasflächen, der Rest war neutraler grauer Beton. Ein paar ganz besondere Modelle wurden auf dem glänzenden Boden des Ausstellungsraums präsentiert, hinter dem man Schreibtische, Stellwände und Bürotüren sah. Auf der rechten Seite der Fassade, dort, wo die Verglasung aufhörte, setzte sich die graue Betonwand fort, die drei gleichmäßig verteilte, im Augenblick geschlossene hohe Tore aufwies.

Parker und Sandra sahen sich das alles an, dann gingen sie weiter, an der Fassade vorbei. »Die werden ihn hier abliefern, an einem der Tore. Ihr eigener Wagen wird hinten auf dem Kundenparkplatz stehen. Mal sehen, was passiert, wenn sie umsteigen.«

»Wir müssen mindestens eine halbe Stunde warten«, sagte sie. »Was machen wir solange?«

»Autos anschauen.«

Es wurden dann eher fünfzig Minuten, und während dieser Zeit schaute der junge Mann, der sie begrüßt hatte, zweimal stirnrunzelnd zu ihnen herüber. Aber er konnte sich offensichtlich nicht dazu aufraffen, herauszufinden, was sie eigentlich vorhatten.

»Ist er das?« fragte Sandra.

Er war es. Sie waren gerade bei den Neuwagen, und der Suburban musste um dieses Gelände herumfahren, um zu den Seitentoren zu gelangen. Sie änderten ihre Richtung, um dorthin zu gehen, wo der Wagen halten würde, und als er an ihnen vorbeifuhr, sagte Sarah: »Ist ja komisch.«

Parker hatte in die andere Richtung geschaut, damit der massige Typ vom Abend zuvor ihn nicht sah und wiedererkannte, aber jetzt drehte er sich um und schaute zu, wie der Suburban sich langsam durch die abgestellten Autos und die Kunden schlängelte. »Was denn?« fragte er.

»Vorn der Fahrer allein, hinten zu dritt. Wieso machen die das?«

Am Ende des Gebäudes bog der Suburban um die Ecke, so dass er von der Seite zu sehen war, und Parker erkannte den mittleren der drei Männer auf dem Rücksitz. »Es ist Nelson«, sagte er.

»Mein Gott.« Sie schaute ebenfalls hin. »Sie haben recht! Ist er zu ihnen übergelaufen?«

»Nein.«

»Warum schleppen die ihn dann mit?«

Der Suburban hielt vor dem mittleren Tor, und vom Haupteingang ging ein anderer adretter Verkäufer, ein etwas älterer, breit grinsend und mit Begrüßungsgesten auf den Wagen zu. Der Fahrer stieg aus. Die drei auf dem Rücksitz blieben sitzen.

»Kann ich Ihnen sagen«, sagte Parker. »Oscar Sidd hat ihnen erzählt, dass es zwei Millionen vergiftetes Geld sind. Sie haben die Kartons aufgemacht und nur zweihunderttausend gefunden. Sie denken, es ist noch dasselbe Geld, und wollen wissen, wo der Rest ist.«

Sandra schaute zu McWhitney hinüber. »Er ist ihr Gefangener.«

»Und deswegen ist er noch am Leben.«

Der Fahrer und der Verkäufer hatten sich die Hand gegeben, und jetzt erklärte der Fahrer etwas. Der Verkäufer schaute auf den Rücksitz des Suburban, neigte dann den Kopf und hörte aufmerksam zu. Schließlich tätschelte der Fahrer ihm den Arm und entfernte sich in Richtung Kundenparkplatz. Der Verkäufer stand da und wartete, die Hände vor dem Körper verschränkt wie ein Portier bei einer Hochzeit.

Parker behielt den Suburban im Auge und sagte: »Holen Sie Ihren Wagen, bringen Sie ihn hierher.«

»Ich tauge nicht als Mitwirkende«, sagte sie, »ich bin besser als Zuschauerin.«

»Diesmal nicht. Tun Sie's.«

Sie ging, und der Verkäufer verhandelte mit einem Mann in Arbeitskleidung, der aus einer Seitentür gekommen war und sich bückte, um die Nummernschilder abzuschrauben.

Jetzt kam ein Buick Terraza vom Kundenparkplatz herüber und hielt neben dem Suburban. Parker ging näher heran, während die beiden vom Rücksitz, einer davon der massige Typ vom Abend zuvor, McWhitney aus dem Suburban zogen, um ihn möglichst rasch und unauffällig auf den Rücksitz des Terraza zu bugsieren.

Das misslang. Weil so viele andere Leute herumstanden und alles so hell beleuchtet war, konnten sie ihn nicht so packen, wie sie es gern getan hätten. In diesem Moment, als alle drei Männer zwischen den beiden Autos standen und die zwei, die weiter außen waren, McWhitney bedrängten, ihn aber nicht direkt berührten, führte er blitzschnell den angewinkelten linken Arm nach oben und hinten und rammte dem Typ auf der Seite den Ellbogen in die Wange; der Mann taumelte rückwärts gegen den Suburban, rutschte auf den Boden und rührte sich nicht mehr.

Während der massige Typ rechts noch überlegte, wie er reagieren sollte, versetzte McWhitney ihm mit demselben Arm einen Haken ins Gesicht und griff ihm mit der Rechten ins Jackett.

Parker lief hin, die Bobcat schussbereit in der Tasche. Der Fahrer, der den Terraza zwischen sich und dem Geschehen hatte, zog eine Pistole und schrie McWhitney an: »Aufhören! Aufhören!« Er feuerte die Pistole ab, nicht, um jemanden zu treffen, sondern um Aufmerksamkeit zu erregen, was ihm auch gelang. Alle, die auf dem Gelände waren, schauten her.

»Nicht den Wagen!« schrie der Verkäufer. »Nicht den Wagen!« Hinter ihm stand völlig verstört der Mechaniker, in den Händen das vordere Nummernschild und einen Schraubenzieher. Überall auf dem Gelände reckten Leute die Hälse, um zu sehen, was los war.

McWhitney hatte Schwierigkeiten mit dem massigen Typ. Die beiden kämpften um die Pistole, die noch halb in der Jackentasche des Typs steckte.

Parker wusste, dass er mit seiner kleinen Pistole zu weit weg war, aber er zielte mit der Bobcat und gab einen Schuss ab, dann rannte er weiter. Er hatte vorbeigeschossen, sah aber, dass die Kugel den massigen Typ am linken Ohr gestreift hatte; das hieß, dass er sich zunächst nicht mehr auf Mc-

Whitney und dann nicht mehr auf seine Pistole konzentrieren konnte.

Es war dieselbe, die Parker ihm am Abend zuvor abgenommen und die McWhitney ins Handschuhfach des Transporters gelegt hatte. Jetzt schlug McWhitney den anderen damit nieder, und während der Mann fiel, bückte er sich und gab durch beide hinteren Seitenfenster des Terraza einen Schuss auf den Fahrer ab, der rückwärts hinstürzte und seine Waffe fallen ließ.

»NICHT DEN WAGEN!«

McWhitney stieß den Verkäufer gegen den Mechaniker, und beide fielen hin, während er in den Suburban sprang. Er musste um den Terraza herum zurücksetzen, um von dem Gebäude wegzukommen, und im selben Moment hielt Sandra mit dem Honda neben Parker, der rasch hineinsprang. Die beiden Männer, die McWhitney niedergeschlagen hatte, bewegten sich; der, auf den er geschossen hatte, rührte sich nicht.

Ringsum schrien die Leute, wedelten mit den Armen und sprangen aus dem Weg, und McWhitney fuhr mit Vollgas über das Gelände und auf die Straße hinaus, wo er sich rücksichtslos in den fließenden Verkehr drängelte. Sandra fuhr mit ihrem Honda sittsam hinterher.

VIERZEHN

Der Verkehr auf dieser Hauptstraße, die in genau südlicher Richtung quer durch Long Island führte, war ziemlich rege, so dass niemand groß einen Vorteil für sich herausschinden konnte. Parker sah den schwarzen Suburban einen langen Häuserblock vor ihnen, mit sieben oder acht Autos dazwischen, so dass es unmöglich war, die Lücke zu schließen. Dann fuhr der Suburban bei Gelb über eine Kreuzung, die nachfolgenden Fahrzeuge hielten, und Parker sah zu, wie der Suburban entschwand.

Wurden sie verfolgt? Er drehte sich um, schaute durchs Heckfenster und sah gerade noch, wie der Terraza an der Kreuzung hinter ihnen links abbog; die fehlende Scheibe im hinteren Seitenfenster war sogar auf diese Entfernung gut zu erkennen. »Sie sind hinter ihm her«, sagte er.

Sandra schaute in ihren Spiegel, aber zu spät. »Wer?«

»Jemand in dem Buick. Einer von den Jungs oder beide sind noch mit von der Partie.«

»Aber sie sind abgebogen?«

»Die kennen sich hier aus, und sie wissen, wo McWhitney hin will. Sie werden vor ihm dasein.«

»Und wir hängen zu weit zurück, um ihm Bescheid zu sagen.«

»Wir fahren einfach zu ihm und sehen, was passiert.«

Das McW und der ganze Block waren dunkel, nur in einigen der Wohnungen über den Geschäften brannte Licht. An einem Dienstag um neun Uhr abends waren in diesem Teil von Bay Shore keine Autos und keine Fußgänger auf der Straße. Aber ein schwarzer Suburban ohne vorderes Nummernschild stand vor der Bar. Der weiße Buick Terraza war nirgendwo zu sehen, doch wenn die tatsächlich vor McWhitney angekommen waren, hatten sie den Wagen sicher irgendwo versteckt.

Parker und Sandra stiegen aus und gingen zum McW hinüber. Das grüne Rollo war über das Fenster in der Eingangstür heruntergezogen, und das GESCHLOSSEN-Schild war angebracht. Drinnen brannten die schwachen Nachtlichter, das war alles.

Parker lauschte an der Tür, hörte aber nichts. Sie mussten dadrin sein, aber irgendwo hinten.

Er drehte sich zu Sandra um. »Haben Sie Werkzeug zum Schlossknacken?«

»Das würde aber eine Zeitlang dauern«, sagte sie und schaute auf die Tür. »Und wenn jemand kommt?«

»Nicht für hier, für die Hintertür.« Parker zeigte mit dem Kinn auf die Gasse neben dem Haus. »Und wir brauchen eine Taschenlampe.«

»Okay.«

Sie gingen zu Sandras Wagen zurück, und aus der Werkzeugkiste neben dem Gaspedal nahm sie einen schwarzen Filzbeutel mit Schlosserwerkzeug und eine schlanke schwarze Taschenlampe.

»Können Sie damit auch umgehen?« fragte Parker.

»Ich hab einen Kurs gemacht«, sagte sie. »Das gehört in meinem Beruf zur Grundausbildung. Zeigen Sie mir die Tür.«

Parker ging vor, durch die Gasse zur Rückseite des Gebäudes, wo der Pick-up in der Finsternis kaum auszumachen war. Im schwachen Himmelslicht waren nur hellere und dunklere Massen Schwarz zu unterscheiden.

»Ich halte die Lampe«, sagte er. »Die Tür ist da drüben.«

Er hielt die Finger über das Glas der Taschenlampe, schaltete sie ein und spreizte dann die Finger gerade nur so weit, dass sie sahen, was sie zu sehen brauchten. Sandra ließ sich auf ein Knie nieder und inspizierte das Schloss, dann brummte sie zufrieden und öffnete den Beutel, den sie vor sich auf den Boden gelegt hatte. Dann schaute sie auf. »Was ist hinter der Tür?«

»Sein Schlafzimmer. Sie sind höchstwahrscheinlich weiter vorn, im Wohnzimmer. Bequemer.«

»Nicht für Nelson«, sagte sie und machte sich mit den Dornen aus dem Filzbeutel an die Arbeit.

Sie brauchte fast vier Minuten, und einmal hielt sie inne, ging in die Hocke und sagte: »Ich muss zugeben, ich bin eingerostet. Der Kurs liegt schon eine Weile zurück.«

»Schaffen Sie's?«

»Ja, sicher. Ich bin nur nicht mehr so schnell wie früher.«

Sie beugte sich wieder über das Schloss, und Parker richtete den schmalen Lichtstreifen auf ihre Geräte. Endlich sprang die Tür mit einem leisen Klicken ein paar Millimeter nach außen auf. Auch das war im Brandschutz geregelt: Türen an Notausgängen mussten nach außen aufgehen.

Während sie ihr Werkzeug wegpackte, zog Parker die Tür ein Stückchen weiter auf, steckte die Taschenlampe ein, nahm die Bobcat in die Hand und trat ins Haus. Sandra stand auf, steckte den Filzbeutel ein, wischte sich die Hose ab und folgte ihm. In der Hand hatte sie jetzt ihre eigene Pistole.

Stimmen waren zu hören, dann ein unterdrücktes qualvolles Stöhnen. Die Schlafzimmertür, ihnen gegenüber, war halb geöffnet, und man konnte eine Seite der Küche sehen, die nur von den Lampen und Uhren der Geräte erhellt war. Die Geräusche kamen von weiter vorn, aus dem Wohnzimmer.

Parker ging vor und durchquerte lautlos den Raum zur Küchentür. Sandra hielt sich dicht hinter ihm und weiter rechts, so dass sie und ihre Pistole freie Sicht nach vorn hatten.

Sie gingen durch die Küche. Im Wohnzimmer brannte Licht, aber durch den Türspalt war nur eine leere Ecke zu sehen. Parker ging um den Tisch in der Raummitte herum und auf die Tür zu.

»Du Wichser, du machst uns richtig wütend, wir teilen *nicht* mit dir.« Es war die Stimme des massigen Typs.

»Genau.« Ein zweiter Mann, wahrscheinlich der andere aus dem Buick.

Wieder Geräusche von Schlägen, und dann sagte der massige Typ entnervt: »Wir wollen nur anständig sein, du Sack. Irgendwann sagst du's uns ja doch, und was, wenn wir dann wütend auf dich sind?«

Ein paar Sekunden schwiegen alle, nur die anderen Geräusche waren zu hören, dann fragte der massige Typ: »Was jetzt?«

»Er ist ohnmächtig geworden.«

»Hol Wasser aus der Küche und schütte es ihm drüber.«

Parker machte Sandra ein Zeichen zurückzubleiben und stellte sich neben die Tür. Die Bobcat war so klein, dass er sie nicht am Lauf halten und den Griff als Keule verwenden konnte, deshalb hob er sie über seinen Kopf, so dass der Griff nur ein Stückchen unten herausschaute. Als der andere durch die Tür kam, schlug er ihm senkrecht auf den Kopf, mit der Absicht, als nächstes in die Tür zu treten und den massigen Typ zu erschießen.

Aber es funktionierte nicht. Die Bobcat taugte nicht als Keule, und seine Finger dämpften den Schlag. Statt zusammenzubrechen und die Tür für Parker frei zu machen, taumelte der Typ und fiel nach links, auf Parker zu, der ihn mit der linken Hand von sich stoßen und ihm mit der rechten noch eins überziehen musste, diesmal aus der Rückhand, wobei der Pistolengriff über seinen Nasenrücken schrammte.

Der Mann krachte zu Boden und war endlich aus dem Weg, doch als Parker einen raschen Blick ins Wohnzimmer warf, sah er, dass die Gelegenheit verpasst war. McWhitney hing zusammengesackt auf einem Küchenstuhl, an den er anscheinend mit Verlängerungskabeln gefesselt war. Der massige Typ war nicht zu sehen. Stand er in einem Teil des Wohnzimmers, den Parker nicht einsehen konnte, oder war er in der Bar?

Der Typ auf dem Boden war benommen, rührte sich aber noch. »Mike!« rief er. »Mike!«

»Wer zum Teufel ist das?« Die Frage kam aus der Wohnzimmerecke rechts hinter der Tür.

Der Typ, der mit dem Rücken auf dem Boden lag, rutschte weg, bis er mit dem Kopf am Herd anstieß, und rief: »Es ist der Typ, der Oscar umgelegt hat!«

»Und wer noch?«

»Eine Frau.«

Parker ging an der Küchenwand entlang zu der Stelle, wo Mike genau auf der anderen Seite stehen musste.

»Mike! Der will durch die Wand schießen!«

Parker schaute ihn an. »Ich brauch dich nicht lebendig«, sagte er.

Der Typ auf dem Boden hob die Hände und bot ihm einen Deal an. »Wir können doch alle teilen«, sagte er. »Das haben wir deinem Kumpel da auch vorgeschlagen.«

Sandra sagte: »Er soll hier rüberkommen.«

Parker nickte. »Du hörst, was sie sagt.«

»Nein«, sagte der Typ.

»Geh da rüber, und du lebst«, sagte Parker. »Bleib, wo du bist, und du stirbst.«

Der Typ wollte sich hinüberrollen.

»Nein«, sagte Parker. »Du kannst auf dem Rücken rutschen. Das schaffst du schon.« Über die Schulter sagte er zu Sandra: »Das dauert mir zu lange.«

»Bringen Sie niemand um, wenn Sie nicht müssen«, sagte sie.

»Ich glaube, ich muss.«

»Mike!« schrie der Typ auf dem Boden. »Mike! Was zum Teufel machst du?«

Das war eine gute Frage. Parker ging zur Tür, schaute schnell durch und musste sich sofort wieder zurückziehen, weil Mike rasch einen Schuss auf ihn abfeuerte, der in dem engen Raum ohrenbetäubend krachte; die Kugel fuhr in die gegenüberliegende Wand. Doch in dieser Sekunde sah er, dass Mike McWhitney die Verlängerungskabel abgenommen hatte und den schwer angeschlagenen McWhitney, dem die Beine einknickten, mit einem Arm als Schutzschild vor sich hielt.

Parker riskierte noch einen zweiten Blick und sah, dass Mike McWhitney rückwärts durch die Tür zur Bar schleifte. Diesmal verschwendete er keinen Schuss in Parkers Richtung, aber er rief: »Komm durch diese Tür, und du bist tot«, dann ging er rückwärts in die Bar, ließ McWhitney diesseits der Tür auf den Boden fallen und schlug die Tür zu.

Parker wandte sich an den Mann auf dem Boden. »Das Geld?«

Nachdem Mike ihn im Stich gelassen hatte, überlegte der

Typ jetzt, wie er es anstellen sollte, die Seiten zu wechseln. »In der Bar«, sagte er. »Er hat die Kartons reingetragen, bevor wir ihn uns geschnappt haben.«

Parker wandte sich Sandra zu. »Eine Bewegung von dem da«, sagte er, »und ich erschieße *Sie*.«

»Ich könnte ihm ja beide Kniescheiben zerschießen«, erbot sich Sandra.

Aber Parker war schon unterwegs, zurück durchs Schlafzimmer und zur Tür hinaus in die Dunkelheit. Er fand den Weg durch die Gasse zur Straße, bog zur Bar ab, deren Tür offenstand, und sah Mike, der den ersten Geldkarton heraustrug, auf beiden Armen.

Parker ging hin und stieß Mike den Lauf der Bobcat in den Bauch. Er drückte einmal ab, und es gab kaum ein Geräusch. »Funktioniert tatsächlich«, sagte er, und Mike, über den die Dunkelheit hereinbrach, fiel mit offenen Augen und offenem Mund rückwärts in die Bar. Parker kickte seine Beine aus dem Weg, zog den Schnapskarton voller Geld wieder ins Haus, machte die Tür zu und schloss ab.

Er ging durch die Bar in die Wohnung, holte aus dem Wohnzimmer die Verlängerungskabel, mit denen Mike McWhitney gefesselt hatte, und ging damit ins Schlafzimmer, wo sich nichts geändert hatte. Er warf die Kabel neben den Typ auf den Boden und sagte zu Sandra: »Fesseln Sie ihn. Wir müssen das hier zu Ende bringen.«

Sandra steckte ihre Pistole weg. »Auf den Bauch. Hände hinter den Rücken.« Er tat es, und sie kniete sich neben ihn und sagte zu Parker: »Und der andere?«

»Der hatte nicht soviel Glück.«

»Großer Gott«, sagte der Typ auf dem Boden.

»Sieh zu, dass dir das Glück treu bleibt«, riet ihm Sandra.

Als sie sich überzeugt hatte, dass er nirgendwohin gehen würde, stand sie auf und fragte: »Was jetzt?«

»Schauen wir mal nach, wie Nels aussieht.«

Er sah nicht gut aus, aber er sah lebendig aus und war sogar halbwegs wach. Die beiden Typen, die ihn bearbeitet hatten, waren eifrig gewesen, aber keine Profis, das heißt, sie hatten ihn verletzt und ihm weh getan, waren aber nicht imstande gewesen, ihm einen dauerhaften Schaden zuzufügen, außer sie hätten ihn aus Versehen umgebracht. Beispielsweise hatte er noch alle seine Fingernägel.

Parker stellte ihn auf die Beine und sagte: »Kannst du gehen?«

»Mhm. Wo …«

Mit Parkers Hilfe ging McWhitney langsam Richtung Schlafzimmer, und Parker klärte ihn auf: »Einer von denen liegt tot in der Bar, der andere lebt noch und liegt da drüben. Du kannst dich morgen um die beiden kümmern. Jetzt musst du dich erst mal hinlegen. Sandra und ich teilen das Geld auf, und dann hauen wir hier ab.«

Er half McWhitney, sich auf dem Bett auszustrecken, und sagte zu Sandra: »Wenn wir uns beeilen, können Sie mich um zwei Uhr morgens bei Claire absetzen.«

»Was bin ich doch für ein guter Mensch«, sagte sie.

»Wenn ihr mich hier liegen lasst«, sagte der Typ auf dem Boden, »bringt er mich morgen früh um.«

Parker sah ihn an. »Dann hast du ja noch die ganze Nacht«, sagte er.